FL   Heigl, Peter
34X.6   Nurenberger Prozesse= :
HEI   Nurenberg trials
T0026770

DATE DUE

11/9/10			

ter Heigl

irnberger Prozesse
iremberg Trials

DEMCO

Bibliografische Informationen Der Deutschen
Bibliothek
Die Deutsche Bibliothek verzeichnet diese
Publikation in der Deutschen Nationalbibliografie,
detaillierte bibliografische Daten sind im Internet
über http://dnb.ddb.de abrufbar.

Buchgestaltung: Wolfgang Gillitzer, Artur Engler
Schrift: News Gothic
Druck: Druckhaus Oberpfalz, Amberg
ISBN 3-418-00388-5

Die Deutsche Bibliothek
CIP – Cataloguing-in-Publication-Data

A catalogue record for this publication is
available from Die Deutsche Bibliothek

Book Design: Wolfgang Gillitzer, Artur Engler
Font: News Gothic
Printed in Germany by Druckhaus Oberpfalz,
Amberg
ISBN 3-418-00388-5

Inhaltsverzeichnis   Table of Contents

4

Geleitwort des Oberbürgermeisters der Stadt Nürnberg

Die Stadt Nürnberg spielte eine besondere Rolle beim Aufstieg und beim Fall der nationalsozialistischen Schreckensherrschaft. Hitler erkor die freie Reichsstadt zur Stadt der Reichsparteitage, um hier, unterstützt von einem gewaltigen Propagandaapparat, Macht und Stärke zu zeigen. In Nürnberg entstanden monumentale Bauten wie die Kongresshalle und die Tribünen des Aufmarschgeländes, in Nürnberg wurden die menschenverachtenden Rassegesetze erlassen und von hier aus verbreitete Julius Streicher seine Hetztiraden gegen das jüdische Volk. Nürnberg war nach dem Zusammenbruch des Nazi-Regimes 1945 dann aber auch Schauplatz der Kriegsverbrecherprozesse. Die „Nuremberg principles" von damals sind noch heute geltende Richtlinie für völkerrechtliche Verfahren und Prozesse in Menschenrechtsfragen. Aus der besonderen Verantwortung für dieses nationalsozialistische Kapitel der Stadtgeschichte heraus bemüht sich Nürnberg seit 1995, zu einer „Stadt des Friedens und der Menschenrechte" zu werden. Die von dem israelischen Künstler Dani Karavan geschaffene „Straße der Menschenrechte" inspirierte die Stadt, alle zwei Jahre einen internationalen Menschenrechtspreis an Persönlichkeiten zu vergeben, die sich engagiert und unter Einsatz ihres eigenen Lebens für Frieden, Völkerverständigung und Menschenrechte einsetzen. Internationale Tagungen und das begleitende Menschenrechts-Filmfestival helfen mit, die Menschenrechtsarbeit von Nürnberg aus populär zu machen.
In einem Kopfbau des Kongresshallen-Torsos entsteht das Dokumentationszentrum Reichsparteitagsgelände. Die Konstruktion des Grazer Architekten Günter Domenig durchbohrt den Beton der Nazi-Ideologie wie ein Pfeil und symbolisiert so eine „neue Kultur des Erinnerns". Eine

Foreword by the mayor of the city of Nuremberg

The city of Nuremberg played a special role in the rise and fall of the terror rule of the Nazis. Hitler chose Nuremberg, the former free imperial city, to be the site of his Nazi Party Rallies, which were a demonstration of power and strength supported by an enormous propaganda apparatus. Monumental structures, like the Congress Hall and the grandstands at the marching grounds, were built in Nuremberg. At this site the inhumane racial purity laws were declared, and from here Julius Streicher read his infamous speeches of malicious agitation against the Jewish people. After the collapse of the Nazi regime, Nuremberg was however also the location of a war crime tribunal. The "Nuremberg Principles" from the aftermath of WWII serve yet today as a valid guideline for the procedure in trying human rights violations and crimes against humanity. From the position of carrying a special responsibility for this chapter of Nazi and city history, Nuremberg has been trying since 1995 to live up to its new title of "City of Peace and Human Rights". The "Street of Human Rights", created by the Israeli artist Dani Karavan, inspired the city to award a biannual, international human rights prize to individuals who are involved and risk their own lives in the struggle for peace, solving ethnic conflict and promoting human rights. International conferences held in combination with a human rights film festival help in getting out the word of Nuremberg's efforts in promoting human rights.
At the head of the Congress Hall building of the Nazi Party Rally Grounds, a documentation center is about to open. Using an arrow, the design of the Graz, Austria architect Guenter Domenig pierces through the concrete of the Nazi ideology, thus symbolizing a "new culture of

Ausstellung und didaktisch aufbereitete Informationen sollen künftig den Besuchern des Reichsparteitagsgeländes die internationalen Zusammenhänge ebenso verdeutlichen wie die Mechanismen der Propaganda-Maschinerie, mit der die Nationalsozialisten so viele Menschen irreleiten konnten. Eine wichtige Rolle im Konzept des Dokuzentrums, das im November 2001 eröffnet wird, spielt nicht zuletzt der Schwurgerichtssaal 600 im Justizgebäude, in dem die Nürnberger Prozesse stattfanden.

Ich danke dem Autor Peter Heigl und dem Fachverlag Hans Carl, dass sie zum Aspekt der Aufarbeitung der nationalsozialistischen Verbrechen umfangreiches Material zusammengetragen haben, um die Geschehnisse rund um die Kriegsverbrecherprozesse zu dokumentieren und den Besuchern des Gerichtsgebäudes eine umfassende Hintergrund-Information zu ermöglichen. Dieses Buch wird einen wichtigen Beitrag zur Aufarbeitung der Geschichte des Nationalsozialismus in Nürnberg leisten. Es wird die Bestrebungen der Stadt unterstützen, die von der UNESCO im Jahr 2001 mit der Verleihung des Preises für Menschenrechtserziehung gewürdigt wurden und die auf dem Wandteppich im Sitzungssaal des Rathauses nachzulesen sind, nämlich dass von Nürnberg aus „nie mehr Hass, sondern nur noch Signale des Friedens, der Völkerversöhnung und der Menschlichkeit ausgehen sollen".

recollection". An exhibition and instructional information will emphasize and explain the workings of the propaganda machine with which the Nazi Party led so many people astray. Courtroom 600 of the Palace of Justice, in which the Nuremberg trials took place, is also to play an important role in the concept of the Documentation Center, to open in November 2001.

My appreciation goes to the author Peter Heigl and the publishers at Hans Carl for compiling extensive material documenting the crimes of the Nazis. This work provides comprehensive background information to visitors to the Palace of Justice, and will play an important role in helping us understand the history of National Socialism in Nuremberg. The city's efforts, for which it received the 2001 UNESCO Prize for Human Rights Education, are supported by this book to achieve the goal which can be read on a tapestry in the City Hall Conference Room: [from the city of Nuremberg] "never again hate, rather only signals of peace, international understanding and humanity shall be sent".

Ludwig Scholz

Ludwig Scholz

Amerikanische
Wachen vor dem
Sitzungssaal am
1.10.1946 bei der
Urteilsverkündung.

American guards
in front of the
courtroom on
October 10, 1946,
the day of the ver-
dict announcement.

Nürnberger Prozesse

Nuremberg Trials

In mehr als 100 ausgewählten Fotos will dieses Buch die Nürnberger Prozesse anschaulich machen. Der Sammelbegriff „Nürnberger Prozesse" beinhaltet sowohl das vom 14. November 1945 bis 31. August 1946 abgehaltene Internationale Militärtribunal (IMT) der vier alliierten Mächte gegen 24 nationalsozialistische Hauptkriegsverbrecher als auch die zwölf Nachfolgeprozesse in Nürnberg, die bis zum 11. April 1949 vor US-Militärgerichten gegen die Nazieliten in Justiz, Ärzteschaft, Industrie, Wehrmacht, Diplomatie und Beamtentum verhandelt wurden. Hauptanliegen dieses Buches ist es, anhand zeitgenössischer Dokumentarbilder amerikanischer Armeefotografen die Atmosphäre der Prozesse und den Arbeitsalltag der daran beteiligten Menschen zu illustrieren. Nicht zuletzt will die Fotosammlung den vielen Besuchern als Handreichung dienen, die alljährlich den historischen Verhandlungsort in Nürnberg besuchen – denn leider ist der berühmte Schwurgerichtssaal 600 im Nürnberger Justizpalast im Laufe der nach Kriegsende verstrichenen Jahre grundlegend umgebaut worden, so dass der Zustand in den Tagen der Nürnberger Prozesse nur noch aus historischen Aufnahmen ersichtlich ist. Das vorliegende Buch zeigt ausschließlich zeitgenössische Dokumentaraufnahmen, zu denen auf Grundlage der originalen Bildunterschriften des Signal Corps beziehungsweise sonstiger US-Behörden eine nachträgliche Kommentierung gelie-

This book aims to make the Nuremberg Trials accessible to its readers, through more than 100 selected photographs. The collective term "Nuremberg Trials" includes the International Military Tribunal (IMT), held from Nov. 14, 1945, to Aug. 31, 1946, in which the four Allied nations tried 24 head Nazi officials. It also includes twelve succeeding trials, ending on April 11, 1949, in which United States Military Courts prosecuted the Nazi legal, medical, industrial, military, diplomatic and administrative elite. The main objective of this book is to illustrate the atmosphere of the trials and the nature of daily work as captured by American Army documentary photographers of the day. This collection of photographs is also intended to serve as a guide to those who come to Nuremberg planning to visit the site of the trials. Unfortunately, Courtroom 600 was remodelled in the post-war era, making the study of historic photographs necessary to understand its condition at the time of the Nuremberg Trials. This work contains only vintage documentary photographs which, with the help of original captions recorded by the Signal Corps or other American officials, are supplemented by restrospective historic insight and commentary. All pictures originate from US Army photographers of the Signal Corps. The identifiable photographers whose work was catalogued are: Charles W. Alexander,

fert wird. Alle Aufnahmen stammen von amerikanischen Armeefotografen des Signal Corps. Soweit auf den Bildlegenden vermerkt, handelt es sich dabei um folgende Fotografen: Charles W. Alexander, T. L. Bayless, Raymond D'Addario, Charles Gould, J. A. Herod, Hewitt, Raymond Sievers und Fred L. Tonne.

Das von der US Army bereits 1917, also mitten im Ersten Weltkrieg, eingerichtete Signal Corps hatte den Auftrag, das zur Armee gehörende Bureau of Public Relations mit Filmdokumenten und Fotografien über die Kriegsaktivitäten der US-Armee zu versorgen und von dort aus die Presse mit für tauglich befundenem Material zu beliefern. Seit Spätsommer 1942 erhielten alle zum Bilderdienst des Signal Corps abkommandierten Offiziere eine umfassende Ausbildung. Pressefotografen aus New York halfen den meist jungen und unerfahrenen Armeefotografen, ein besseres Gefühl für Handwerk, Bildkomposition und sekundenschnelle Bildentscheidung zu entwickeln.

Die Nürnberger Prozesse sind denkbar umfassend dokumentiert – zunächst einmal gibt es 42 Bände mit allen schriftlichen Quellen und Dokumenten aus dem Prozessverlauf, ebenso aber eine komplette Dokumentation der Gerichtsverhandlungen auf Film und Schallplatten, darüberhinaus Hunderte von Fotos. Alle diese Fotos, Filme und Tonaufnahmen sind heute in den US National Archives in College Park in Maryland aufbewahrt. Der Umfang des eingelagerten Materials ist immens: „Die amerikanische Regierung hatte eroberte deutsche Akten der Nazizeit gesammelt, über den Atlantik befördert und hier ... eingelagert, wo sie insgesamt rund zehn Kilometer Regale füllten." (Raul Hilberg, Unerbetene Erinnerung, 1994, S. 63)

Die Auswahl der Fotos für dieses Buch wurde primär unter dem Gesichtspunkt der Logistik und des Alltags der Nürnberger Prozesse vorgenommen:

T.L. Bayless, Raymond D'Addario, Charles Gould, J.A. Herod, Hewitt, Raymond Sievers and Fred L. Tonne. The Signal Corps, founded in 1917 in the middle of World War I, had the assignment of providing images of military activity to the Army's Bureau of Public Relations which then passed it on to the press. Beginning in late summer 1942, officers of the Signal Corps began receiving extensive training. Photojournalists from New York assisted in training the for the most part young and inexperienced Army photographers to develop a better sense of the art of photography, including composition and timing.

The Nuremberg Trials have been thoroughly well-documented. There are 42 volumes containing all written sources and documents from the hearings, as well as a complete documentation of court proceedings on film and on record, in addition to hundreds of photographs. All of these films, photos and recordings are stored in the US National Archives in College Park, Maryland. The scope of the material is immense: "The American Government collected German files of the conquered Nazis, had them shipped across the Atlantic and store them here where they fill about six miles of shelf space." (Raul Hilberg, Unerbetene Erinnerung, 1994, P. 63)

The selection of photographs in this book was made primarily to demonstrate logistics and daily life at the Nuremberg Trials:

1. Courtroom renovations for the International Military Tribunal
2. Security measures in and around the courthouse, guarding the jail inmates and in court, daily life in jail
3. Task of translating and interpreting
4. Prosecutors, defendants, defense counsel, and witnesses
5. World press and prominent trial visitors
6. Accommodations and leisure activities of trial personnel

1. Umbau des Gerichtssaals für das Internationale Militärtribunal
2. Sicherheitsmaßnahmen im und um das Gerichtsgebäude, Bewachung der Häftlinge im Gefängnis und im Gerichtssaal, Alltag im Gefängnis
3. Arbeit der Übersetzer und Dolmetscher
4. Ankläger, Angeklagte und Verteidiger, Zeugen
5. Weltpresse und bekannte Prozessbesucher
6. Unterbringung und Freizeit der am Prozess beteiligten Personen.

Die Fülle der im US-Nationalarchiv verwahrten Film-, Ton- und Fotobestände unterstreicht, welch hoher Rang seinerzeit dem „Jahrhundertprozess" seitens der offiziellen Stellen der USA beigemessen wurde. Es lohnt sich, an dieser Stelle noch einmal die Kernsätze der Erklärung zu zitieren, die später als Grundlage des IMT dienten – nämlich die im Rahmen der Drei-Mächte-Konferenz von den Vertretern der USA, Großbritanniens und der Sowjetunion verabschiedete und von Präsident Roosevelt, Marschall Stalin und Premierminister Churchill höchstpersönlich unterzeichnete Moskauer Deklaration vom 30. Oktober 1943.

„Das Vereinigte Königreich, die Vereinigten Staaten und die Sowjetunion haben von vielen Seiten Beweismaterial über Grausamkeiten, Massaker und kaltblütige Massenexekutionen erhalten, die von den Hitlerstreitkräften in vielen der Länder begangen worden sind, die sie überwältigt haben und aus denen sie jetzt stetig vertrieben werden. Die Brutalitäten der Naziherrschaft sind nichts Neues, und alle Völker oder Länder in ihrer Gewalt haben unter der schlimmsten Form der Terrorregierung gelitten. Neu ist aber, dass viele dieser Länder jetzt von den vorgehenden Heeren der befreienden Mächte wiedergewonnen werden, und dass in ihrer Verzweiflung die zurückweichenden Hitleriten und Hunnen ihre unbarmherzigen Grausamkeiten verdoppeln. (…)"

The abundance of stored film, sound and photographic documents in the US National Archives reflects the high degree of importance which the "Trial of the Century" had at the time. At this point it's worth reviewing the core statements which were later to serve as the basis of the objective of the IMT – namely in connection with the Allied Conference in which representatives from the USA, Great Britain and the Soviet Union authored, and President Roosevelt, Marshal Stalin and Prime Minister Churchill personally signed the Moscow Declaration dated October 30, 1943.

"The United Kingdom, The United States and the Soviet Union have gathered evidence from several sources documenting the atrocities, massacres, and cold-blooded mass executions carried out by Hitler's armies in several countries which were taken over and from which they are currently being forced out. The brutality of the Nazi regime is nothing

Haupteingang des Justizpalastes, 1948

Palace of Justice, main entrance, 1948   238 OMTPJ-E-1

Im Hinblick hierauf erklären die zuvor genannten drei alliierten Mächte, die im Namen der zweiunddreißig Vereinten Nationen sprechen, hierdurch feierlich und geben ausdrücklich Kenntnis von ihrer folgenden Erklärung:
„Sobald irgendeiner in Deutschland gebildeten Regierung ein Waffenstillstand gewährt werden wird, werden jene deutschen Offiziere, Soldaten und Mitglieder der Nazipartei, die für die obigen Grausamkeiten, Massaker und Exekutionen verantwortlich gewesen sind oder an ihnen zustimmend teilgehabt haben, nach den Ländern zurückgeschickt werden, in denen ihre abscheulichen Taten ausgeführt wurden, um gemäß den Gesetzen der befreiten Länder und der freien Regierungen, welche in ihnen errichtet werden, vor Gericht gestellt und bestraft zu werden. (...) Mögen sich diejenigen, die ihre Hand bisher nicht mit unschuldigem Blut besudelt haben, davor hüten, sich den Reihen der Schuldigen beizugesellen; denn mit Sicherheit werden die drei alliierten Mächte sie bis an die äußersten Enden der Welt verfolgen und sie ihren Anklägern ausliefern, damit Gerechtigkeit geschehe.
Die obige Erklärung erfolgt mit Vorbehalt der Rechte gegenüber den deutschen Hauptverbrechern, deren Vergehen keine bestimmte örtliche Beschränkung haben; sie werden durch gemeinsames Urteil der Regierungen der Verbündeten bestraft werden.“
Der Wortlaut der Erklärung verdeutlicht das Pathos der Kriegsjahre, gibt vor allem aber einen unmissverständlichen Hinweis auf die Ungeheuerlichkeit der Greuel, die wenige Jahre darauf bei den Nürnberger Prozessen in erdrückender Ausführlichkeit zur Sprache kommen sollten. Die oben zitierte Moskauer Erklärung wurde dann im Londoner Abkommen über die Errichtung des Internationalen Militärgerichtshofs vom 8. August 1945 bestätigt und hinsichtlich der „Verfolgung und Bestrafung der

new, and all peoples and countries under its control have suffered from the worst form of rule by terror. What is new is the fact that these countries are now being liberated by the advancing Allied armies, and that, in an act of despair, the remaining 'Hitlerites' and Huns are doubling their number of atrocities..."
Taking this into consideration, the three aforementioned Allies representing the 32 members of the United Nations make the following official declaration:
"As soon as any German government guarantees a truce, those German officers, soldiers and members of the Nazi Party responsible for or agreeing to participation in these crimes will be brought to court and punished for the above atrocities, massacres and executions in the countries in which they were committed and will be subject to the laws of these liberated countries. (...)
May this be a warning to those who yet have no blood on their hands not to associate with the scores of offenders; for the three Allied Powers will certainly pursue them to all corners of the world and they shall be extradited, allowing justice to be served.
The above declaration is made with the reserved right to prosecute the highest officiating German war criminals whose actions cannot be limited to any one place; they will be brought to justice in joint trial by the Allied governments."
The wording of the document expresses war-time sentiments, but, above all, clearly foreshadows the scale of the atrocities which would later surface in overwhelming detail in the Nuremberg Trials. The Moscow Declaration stated above was confirmed on August 8, 1945, London Agreement regarding the establishment of an International Military Tribunal and amended in regards to the "pursuit and punishment of major war criminals of the Axis Powers"; as a unifying legal basis Law No. 10 was passed on December 20, 1945, in Berlin

Hauptkriegsverbrecher der Europäischen Achse" ergänzt; als einheitliche Rechtsgrundlage für die Nürnberger Prozesse wurde dann am 20. Dezember 1945 in Berlin das Kontrollratsgesetz Nr. 10 „über die Bestrafung von Personen, die sich Kriegsverbrechen, Verbrechen gegen Frieden oder gegen Menschlichkeit schuldig gemacht haben" verabschiedet, dessen vollständiger Titel deutlich genug signalisiert, worum es beim IMT in Nürnberg ging. Folgende vier Tatbestände wurden festgelegt und zur Grundlage der Anklageerhebung gemacht: Verbrechen gegen den Frieden, Kriegsverbrechen, Verbrechen gegen die Menschlichkeit und Zugehörigkeit zu gewissen Kategorien von Verbrechensvereinigungen oder Organisationen, deren verbrecherischer Charakter vom Internationalen Militärgerichtshof festgestellt worden ist. Juristisch betrachtet, bestand das Hauptproblem der Nürnberger Prozesse darin, dass die Taten der Nazis ohne Beispiel waren – dass speziell die Vernichtung der europäischen Juden „einzigartig war, ein Vorkommnis für sich", wie es der Holocaustforscher Raul Hilberg in seinen Memoiren formuliert (Unerbetene Erinnerung, S. 165). Der juristische Grundsatz „nullum crimen sine lege, nulla poena sine lege" kollidierte daher unvermeidlich mit dieser Singularität des Verbrechens, dessen planmäßiger Durchführung etliche Millionen von Menschen zum Opfer gefallen waren. Es gab daher kein Modell für die Tat – und auch keines für ihre juristische Sühnung, weswegen der Holocaust als Ganzes gesehen in Nürnberg auch nicht als eigener herausgehobener Anklagepunkt zur Verhandlung kam. Dass die Nürnberger Prozesse jedoch alles andere waren als eine juristisch verbrämte und ansonsten ohne großes Federlesens exekutierte Rachehandlung der Sieger, ist allein schon eines ihrer bleibenden Verdienste. In Nürnberg wurden unwiderruflich die Grundlagen des-

by the Allied governing body regarding "penalizing persons guilty of war crimes and crimes against peace and humanity." The law's full name left no doubt as to the intent of the IMT in Nuremberg. The following four categories of criminal acts were agreed upon and served as the basis of prosecution: Crimes against peace, war crimes, crimes against humanity and membership to certain categories of criminal groups or organizations whose degree of criminality would be established by the military court. From a legal point of view, the main problem at the Nuremberg Trials was the lack of precedence for Nazi actions – especially the extermination of the Jews – "was unique, an incident in and of itself" according to the Holocaust expert Raul Hilberg's memoirs. (Unerbetene Erinnerung, p. 165). The legal motto "nullum crimen sine lege, nulla poena sine lege"

Das Internationale Militärtribunal,
1945 – 1946

International Military Tribunal,
1945 – 1946   238 NT Box 5-355

sen gelegt, was man als „Rechtsgewissen" angesichts staatlich sanktionierter Greuel und planmäßig exekutierten Genozids bezeichnen könnte; das verleiht ihnen rückblickend eine völlig andere Qualität, als man sie etwa dem Makulatur gebliebenen Briand-Kellogg-Pakt von 1928 zur Ächtung des Krieges bescheinigen kann. (Dass vergleichbare Verfahren wie in Nürnberg neben zusätzlich diversen Prozessen der vier Siegermächte in ihrer jeweiligen Besatzungszone Deutschlands auch noch in Italien, Belgien, Dänemark, Luxemburg, Polen, Jugoslawien, Norwegen, Griechenland, in der Tschechoslowakei, in den Niederlanden, der Sowjetunion, in Tokyo und später in den „NS-Prozessen" der bundesdeutschen Justiz stattfanden, sei wenigstens erwähnt.)

Trotz der unbestreitbaren Impulse, die das Völkerrecht den Nürnberger Prozessen und den „Nürnberger Prinzipien der Vereinten Nationen" verdankt, bleibt natürlich die traurige Tatsache bestehen, dass erstens die Erinnerung an die Urteile relativ rasch im „Meer des Beschweigens" versank und zweitens die Prozesse allein keinen einzigen Krieg, kein einziges Kriegsverbrechen und keine einzige konkrete Menschenrechtsverletzung in den Jahren seither verhindern konnten. Die Lehren aus Nürnberg sind allenfalls als „Rechtsgewissen" in den Köpfen präsent, die feste Entschlossenheit der Vereinten Nationen und damit der Weltmächte, die Hauptverantwortlichen eines Krieges anzuklagen und zu verurteilen, fehlte bislang. So sind die Begriffe Aggressionskrieg, Völkermord und Verbrechen gegen die Menschlichkeit dank der Urteile von Nürnberg zwar mittlerweile klarer definiert und verhandelbar, nur läßt das schlagkräftige Mittel zur Vermeidung dieser Schrecken bis heute auf sich warten.

In jüngster Zeit dienten wieder einmal schlimmste und blutigste Ereignisse als Anlass, den Faden neu aufzunehmen, der

clashed unavoidably with the singularity of this crime, which cost several million human lives. Therefore, there was no model on which the crimes were based, and also none for its legal atonement, the reason for which the Holocaust per se could not be tried in Nuremberg. The legacy of the Nuremberg Trials lies in that they were all but a masked legal act of handed-down readings of executions sentenced out of revenge by the victors. The foundation was laid for irreversibly establishing a legal conscience succeeding the Nazi government-sanctioned atrocities and genocide, adding in retrospect a whole new dimension to the useless Briand-Kellogg Pact from 1928 on war crimes. (Here a brief mention that trials similar to those in Nuremberg were additionally carried out in the four zones of Germany, and also in Italy, Belgium, Denmark, Luxembourg, Poland, Yugoslavia, Norway, Greece, Czechoslovakia, the Netherlands, the Soviet Union, in Tokyo and later in the "NS Trials" held by the Federal Republic of Germany.)

In spite of the indisputable momentum which was given to human rights efforts by the Nuremberg Trials and the "Nuremberg principles of the United Nations", the sad fact of reality naturally remains that recollection of the sentences handed down were quickly forgotten in the "Sea of Silence", and secondly that no single war crime and no single human rights abuse was subsequently stopped as a result. The lessons from Nuremberg include a sense of rule by law, but the resolve of the United Nations and leading nations to prosecute and punish those responsible for war crimes has been lacking until present. The terms war of aggression, genocide and crimes against humanity are, thanks to Nuremberg, more clearly defined and punishable, but the remedy for avoiding these atrocities has yet to be found.

bei den Nürnberger Prozessen geknüpft wurde. Der Sicherheitsrat der Vereinten Nationen sah sich im Mai 1993 zur Einrichtung eines Internationalen Strafgerichtshofs zur Ahndung der Kriegsverbrechen im ehemaligen Jugoslawien veranlasst, 1994 zur Einrichtung eines Internationalen Strafgerichtshofs für Ruanda. In den Statuten dieser beiden Strafgerichtshöfe sowie im Römischen Statut des Internationalen Strafgerichtshofs von 1998 wurden die Kategorien des Verbrechens gegen den Frieden und der Vergehen gegen die Menschlichkeit wesentlich genauer definiert, als dies vor 50 Jahren in Nürnberg der Fall war. Ob jedoch Verstöße gegen das humanitäre Völkerrecht und Verbrechen gegen die Menschlichkeit zukünftig effektiver als bisher international geahndet werden, bleibt vorerst abzuwarten. Die schrekklichen Ereignisse auf dem Balkan und in Ruanda und auch andernorts in Afrika haben das in Nürnberg erstmal im großen Stil verhandelte Thema jedenfalls wieder mit allem Nachdruck auf die Tagesordnung gesetzt.

Recent events of the worst and bloodiest kind have given cause to pick up where Nuremberg left off. The Security Coucil of the United Nations saw a need for the establishment of an international Tribunal in 1993 as a reaction to the horrors in Yugoslavia and in 1994 in Rwanda. In the statutes of both of these tribunals, as well as in the Rome Statute of the International Tribunal from 1998, the categories of crimes against peace and crimes against humanity were much more clearly defined, as was the case 50 years earlier in Nuremberg. It remains to be seen, however, if such crimes will be more effectively prosecuted at the international level. The horrible events in the Balkans and in Rwanda, as well as elsewhere in Africa, have forced this topic, dealt with in such grand style in Nuremberg, back onto the agenda.

208 AA 207-L-1

Blick auf den durch Bombentreffer
beschädigten Justizpalast in Nürnberg.
Deutsche Kriegsgefangene übernahmen
hier die nötigen Aufräumarbeiten.

View of the bomb-damaged Palace of
Justice in Nuremberg. Here German
prisoners of war took care of the necessary clearing-up operations.

Umbau des Gerichtssaals für das Internationale Militärtribunal

Courtroom renovations for the International Military Tribunal

Nürnberg war bei Prozessbeginn eine Stadt in Trümmern – die gesamte Altstadt war in den massiven Bombenangriffen im Februar 1945 nahezu vollständig ausradiert worden. Der Nürnberger Justizpalast war eines der wenigen Gebäude der Innenstadt, die von den Bomben verschont geblieben waren – der riesige Gebäudekomplex war so gut wie unversehrt, lediglich Dächer und Fenster waren kaputt sowie der Verbindungstrakt vom Hauptbau zum Ostflügel durch Bomben zerstört.
Der Architekt Dan Kiley, seinerzeit Chief of Design im Presentation Branch des Office of Strategic Services (OSS), bekam im Juni 1945 den Auftrag, sich in Deutschland nach einem geeigneten Ort für den Prozess umzusehen; wie Kiley schreibt, hätte er für diesen Zweck am liebsten das Deutsche Museum in München requiriert (allerdings war ihm General Patton zuvorgekommen, der dort seinen Offiziersclub eingerichtet hatte). Nachdem man sich höheren Orts jedoch für Nürnberg – die Stadt der Reichsparteitage der Nazis, aber auch die traditionsreiche Kaiserstadt und vor der Zerstörung durch die Bomben der Alliierten im Februar 1945 eine der Symbolstädte für das romantische Deutschland schlechthin – entschieden hatte, baute Kiley den kaum beschädigten Justizpalast in der Rekordzeit von nur fünf Monaten von Juli bis November 1945 für die Zwecke des Internationalen Militärtribunals um. Kiley standen für die

At the beginning of the trials, Nuremberg was in a state of ruin – the entire old town had been nearly completely destroyed in massive bombings in February, 1945. The Nuremberg Palace of Justice was one of the few buildings in the inner city to remain intact – the huge building was virtually unscathed, only windows and roofs were damaged as well as the corridor from the main building to the east wing.
The architect Dan Kiley, at the time Chief of Design in the Presentation Branch of the Office of Strategic services (OSS), was assigned in June, 1945, to look for a suitable location in Germany for holding the trials; according to Kiley, he would have preferred using the German Museum in Munich (General Patton got there before him, converting it into his Officers Club). After the authorities decided on Nuremberg – the city of the great Nazi Party Rallies, but also a former Imperial city and, before its destruction, one of the symbols of romantic Germany – Kiley renovated the nearly unscathed Palace of Justice in record time of five months from July to November 1945 to suit the needs of the International Military Tribunal. At his disposal was a battalion of around 80 American engineers as well as 500 German workers (250 civilians and 250 POWs from the Waffen-SS), and had nearly complete authority for the planning and realization of the project.

praktischen Arbeiten ein Bataillon amerikanischer Pioniere mit zirka 80 Mann sowie 500 deutsche Arbeiter zur Verfügung (250 Zivilisten und 250 Kriegsgefangene aus der Waffen-SS), insgesamt hatte er bei Planung und Ausführung weitgehendst freie Hand. In kürzester Zeit reparierten Kiley und seine Männer die Schäden am Gebäude. Als nächstes erneuerten sie die komplette Infrastruktur und bauten den alten Gerichtssaal 600 im Ostflügel des Justizpalastes, dem Schwurgerichtsbau des Deutschen Oberlandesgerichts, grundlegend um. Des weiteren richteten sie eine PX (sprich eine Art Supermarkt für Armeeangehörige), ein Café und Restaurant, einen Hamburger-Grill und einen grossen Pressesaal sowie immerhin stolze 650 Büros im Justizgebäude für die acht Richter, die Stäbe der zwölf Ankläger, all die Archivare, Forschungsassistenten, Übersetzer, Dolmetscher, Presseleute, Verteidiger usw. ein. Kiley improvisierte ebenso genial wie brachial (einmal beschlagnahmte er kurzerhand die Bestuhlung eines süddeutschen Stadttheaters, ein anderes Mal flog er kurzerhand nach Paris, um in letzter Minute den zu den Vorhängen passenden Teppichboden zu beschaffen) – u.a. ließ er 335 000 Meter elektrische Kabel verlegen, 4 500 qm Glasfenster, 100 000 Ziegelsteine, 20 000 Dachziegel, 3000 Pfund Nägel verbauen und 10 000 neue Glühbirnen installieren, alle Räume neu streichen und renovieren, entwarf er eine neue Symbolfigur der Justitia sowie das komplette Mobiliar des Schwurgerichtssaals 600, installierte er die von IBM konzipierte Anlage für die Simultanübersetzung aus vier Sprachen, dazu modernste Telefon- und Fernschreibanlagen für das Gericht sowie die Presseleute und Presseagenturen – eben alles, was für rund 2500 direkt am Prozessgeschehen beteiligte Personen vonnöten war.

Kiley and his workers repaired the damage to the building in a very brief period of time. Their next step was to completely update the facilities, remodelling Courtroom 600 in the east wing of the Palace of Justice, home of the German Circuit Trial Court. Afterwards they installed a Post Exchange (PX), a sort of military supermarket, a café, restaurant, a snack bar and a large press room as well as 650 offices, all in the Palace of Justice, housing the eight judges, the staffs of the twelve prosecution teams, the archivists, research assistants, translators, interpreters, journalists, the defense teams etc. Kiley's improvised renovation work was often as ingenious as it was brutal (once confiscating seating from a southern German opera house, on another occasion flying briefly to Paris at the last minute to acquire curtains to match the carpeting.) Among the necessary installations there were 335,000 meters of electric cable, 4,500 square meters of glass windows, 100,000 bricks, 20,000 roofing tiles, 3,000 pounds of nails, and 10,000 light bulbs. All rooms received a fresh coat of paint, and Kiley designed a new symbol of justice as well as the furniture for Courtroom 600. He installed an IBM-designed device for simultaneous translations from and into four languages and the most modern telephones and teleprinters available for the court as well as for the press – everything that was necessary to equip the 2,500 people participating in the trials.

1

2

1   12. Nov. 1945: Aufbau des Holz-
modells, anhand dessen der Umbau des
Gerichtssaals 600 im Schwurgerichtsbau
des Nürnberger Justizpalastes geplant
und erläutert wird. Rechts der Erbauer
des Modells, John L. Meyer, links seine
Assistentin, Cornelia H. Dodge. Gut zu
erkennen die Richterbank vor den wand-
hohen Fenstern.

2   Architekten und Modellbauer bespre-
chen die Umbaupläne – links Cpt. Dan
Kiley, in der Mitte Lt. James Johnson
(die beiden Architekten), rechts Modellbauer PFC John Meyer. Kiley zeigt auf
die Richterbank, die Anklagebank befindet sich an der gegenüberliegenden
Wand hinter den Pultreihen für die
Verteidiger.

1   Nov.12, 1945: Assembly of a wooden
model, after which the renovations of
Courtroom 600 in the Jury Courthouse of
the Nuremberg Palace of Justice are
planned and carried out. Right: The
builder of the model, John L. Meyer;
Left: His assistant Cornelia H. Dodge.
Clearly visible is the judge's bench in
front of the ceiling-high windows.

2   Architects and model builder discuss
renovations: left, Cpt. Dan Kiley; middle,
Lt. James Johnson (both architects);
right, model-builder PFC John Meyer.
Kiley is pointing to the judges' bench,
and prosecution is to be located at the
opposite wall behind the rows of
podiums for the defense.

1

2

3

4

5

1   Blick in den Gerichtssaal 600 während der Umbauarbeiten. Die Schreinerarbeiten an der Richterbank sind so gut wie abgeschlossen.

2   Blick von der Bank der Angeklagten in die Sitzreihen der Pressevertreter, darüber die Zuschauergalerie, auf der auch die VIPs Platz nahmen. Die Umbauten sind bereits nahe vor dem Abschluss.

3   Der Teppichboden im Gerichtssaal wird verlegt.

4   Die speziell für die Lichtbedürfnisse der Fotografen improvisierte Deckenbeleuchtung des Gerichtssaals wird installiert. 22 Scheinwerfer sollten zusätzlich den Richtertisch und die Anklagebank erhellen.

5   Blick auf die mit rotem Plüsch bezogenen Theaterstühle, die Architekt Dan Kiley in einem nicht näher benannten Stadttheater für den Gerichtssaal requiriert hatte.

1   View into Courtroom 600 during remodelling. The woodworking on the judges' bench is nearly finished.

2   View from the defendants' bench of the rows of seats reserved for journalists, above the spectator balcony, on which VIPs are also seated. Renovations are already near completion.

3   Carpeting being installed in the courtroom.

4   Installation of courtroom ceiling lights improvised especially for the needs of photographers. 22 spotlights provide additional illumination of the judges' and the defendants' benches.

5   View of the red plush theater chairs which architect Dan Kiley acquired from an unnamed local opera house for use in the courtroom.

US-Panzer waren zur Sicherung des
Gerichtsgebäudes aufgeboten.

US tanks were placed at the Courthouse
for security purposes.

Sicherheitsmaßnahmen im und um das Gerichtsgebäude, Bewachung der Häftlinge im Gefängnis und im Gerichtssaal, der Alltag im Gefängnis.

Security measures in and around the courthouse, guarding of inmates in jail and in court, and daily life in jail.

Unmittelbar hinter dem weitläufigen Justizpalast befand sich das „Zellengefängnis", ein sternförmig angelegter Bau mit vier Zellentrakten aus jeweils drei Stockwerken an einem Zentralbau, in den Jahren 1865–68 aus Sandsteinquadern erbaut. Auch dieses Gebäude war von den Bomben der Alliierten so gut wie verschont geblieben. Ein Verbindungsgang vom Ostflügel des Gefängnisses, in dessen Erdgeschoss die anfangs 22 angeklagten Hauptkriegsverbrecher inhaftiert waren, führte hinüber zum Gerichtsgebäude, so dass die Angeklagten den Verhandlungssaal trockenen Fußes und unter strikter Bewachung erreichen konnten.

Nach dem Selbstmord von Robert Ley vor Prozessbeginn wurden die Sicherheitsauflagen im Gefängnis verschärft – in den Zellen der inhaftierten Nazigrößen musste 24 Stunden am Tag elektrisches Licht brennen, die Vorsichtsmaßnahmen gegen Selbstmordversuche wurden verstärkt, aus diesem Grund u.a. das Mobiliar verändert und alle verbliebenen 21 Hauptangeklagten rund um die Uhr von einer eigens abgeordneten Wache beobachtet (jeder Wachmann hatte zwei Stunden Aufsicht, dann vier Stunden Pause). In den übrigen Zellentrakten waren zum einen wichtige Zeugen sowie zum anderen reguläre Kriegsgefangene und aber auch das Wachpersonal untergebracht.

Wie aus den Fotos zu ersehen, wurde die Gefängnisaufsicht bereits kurze Zeit

Located directly behind the expansive Palace of Justice were the jail cells, a star-shaped building with four tracts of cells with three stories each attached to a central building which was constructed of sandstone blocks, in 1865-68. This building was also virtually unscathed by Allied bombing. A corridor to the east wing of the jail attached to the courthouse made it possible for the 22 high officiating Nazi defendants to enter court under strict supervision and to protect them from the elements.

Following the suicide of Robert Ley before the commencement of the trials, jail security was tightened – in the cells of the Nazi inmates light was required to be on 24 hours a day, and other security measures to reduce the risk of suicide incidence were taken, such as modifying furniture and round-the-clock surveillance of the remaining 21 main defendants (every guard was on duty for two hours, then had a four-hour break). In the other jail tracts, important witnesses were held as well as ordinary prisoners of war, serving additionally as housing for jail guards.

As can be seen on the photographs, by the time of trial begin jail security had already been taken over by a group of displaced persons from the Baltic region. Security provided by American soldiers changed hands in February, 1946, from the battle weary troups of the 18th Infantry Battalion and the 26th Infantry Battalion (Blue Spaders), belonging to

nach Prozesseröffnung großteils von „displaced persons" aus dem Baltikum übernommen. Der Wachdienst der US-Soldaten wechselte im Februar 1946 von den fronterfahrenen Truppen des 18th Infantry Batallion sowie des 26th Infantry Batallion (Blue Spaders) der in den USA fast schon legendären Big Red One (dies der Spitzname der First Infantry Division) zur Company „C" des 370th Infantry Batallion, einer fast vollständig aus Afroamerikanern zusammengesetzten Einheit.
In der Bewachung der Außenanlagen rund ums Gefängnis fand ein wöchentlicher Turnuswechsel der vier Alliierten statt: Die Sicherheit rund um den Justizpalast gewährte die US-Armee mit Panzern und zahlreichen Kontrollposten. Im Gerichtssaal selbst übernahmen US-Militärpolizisten die Bewachung der Angeklagten in ihrer Bank.
Die Amerikaner unterhielten auch noch ein sogenanntes „Gästehaus" in Erlenstegen, in dem sie hochkalibrige Kontaktleute der Nazis, die bei den Prozessen von Nutzen sein konnten, in einer Art gehobenem Hausarrest unter Führung einer ungarischen Gräfin einquartierten; zu den „Gästen" zählten etwa Hitlers Leibfotograf Hofmann, der Belastungszeuge Lahousen, Dr. Karl Haushofer, Ex-Mentor von Hess, der später in Ungnade gefallene Ex-Gestapochef Diels, drei deutsche Generäle u.a.m.
(vgl. Telford Taylor, S. 276–277).

the legendary "Big Red One", the nickname of the First Infantry Division, to Company "C" of the 370th Infantry Battalion, a unit consisting almost exclusively of African Americans.
The duty of guarding the surrounding jail grounds was rotated weekly by the four allied powers; security around the Palace of Justice was taken over by the US Army with the help of tanks and several checkpoints. In the courtroom itself, military police were in charge of guarding the defendants.
Americans also maintained a so-called Guesthouse in Erlenstegen, run by a Hungarian countess, in which they luxuriously held important Nazi contact persons whom they thought would be useful witnesses in the trials. Among the "guests" was Hitler's personal photographer Hofmann, and witnesses giving incriminating testimony such as Lahousen, Dr. Karl Haushofer (Hess's former mentor), former Chief of Gestapo Diels, who was later tried, three German Generals et al.
(Telford Taylor, p. 276-277).

Der Haupteingang für Fußgänger. Hier und ein zweites Mal im Inneren des Gerichtsgebäudes wurden alle Personen sowohl beim Betreten wie beim Verlassen des Areals kontrolliert. An dem frisch gestrichenen Zaun hängt das Emblem „Red One" der 1st Infantry Division.

The main entrance for pedestrians. Here and once again in the courthouse interior, security checks of everyone coming and going were carried out. On the freshly painted fence hangs the emblem "Red One" of the 1st Infantry Division.

238 NT Box 3-158

1

2

1 Der Eingang für die Pressevertreter zur „Press Section". Im Gerichtssaal waren rund 250 Plätze für die Presse reserviert, im Justizpalast die Nachrichtenagenturen RCA, Mackey, Press Wireless und Tass untergebracht.

2 Zugangskontrolle vor dem Haupteingang zum Gerichtsgebäude. Dieser Eingang wurde primär von den Zivilangestellten der Alliierten benutzt.

1 The journalist entrance to the "Press Section". About 250 seats were reserved in the courtroom for the press, and located in the Palace of Justice were the news agencies RCA, Mackey, Press Wireless and Tass.

2 Security check in front of the courthouse's main entrance. This entrance was used primarily by the Allies' civilian employees.

3

3 Ausweiskontrolle: kontrolliert wird
der aus Detroit, Michigan, stammende
Judge Robert M. Toms, Vorsitzender
Richter beim zweiten der zwölf US-
Nachfolgeprozesse.

3 ID check: Being checked here is
Judge Robert M. Toms from Detroit,
Michigan, Chief Justice of the second
of twelve follow-up US trials.

238 OMT-II-T-13

1

1   Ausweiskontrolle vor der Autozufahrt zum Nürnberger Justizpalast. Laut Bildunterschrift des Signal Corps wird gerade (am 27.11.1945) Raymond Sievers kontrolliert, einer der acht Armeefotografen, von denen die in diesem Buch abgedruckten Fotos stammen.

2   Die Wachposten der US-Armee vor der Autozufahrt zum Gerichtsgebäude – Datum: 1.10.1946, der Tag der Urteilsverkündung.

1   ID check at the gate of the vehicle entrance of the Nuremberg Palace of Justice. According to a Signal Corps caption below the picture, Raymond Sievers' identity is being verified. He was one of eight Army photographers whose pictures were sources for this book.

2   US Army guards at the courthouse's vehicle entrance – dated Oct. 1, 1946, day of the announcement of the verdict.

2

3

3 Wachposten vor Gate 16 zum Park-
platz des Fuhrparks; auf der anderen
Straßenseite der Justizpalast. Im Feb.
1946 übernahm anstelle des 18th und
26th Infantry Batallion die aus Afroamerikanern bestehende Company „C"
des 370th Infantry Batallion den Wachdienst bei den Prozessen.

3 Checkpoint at Gate 16, guarding the
military parking lot; across the street the
Palace of Justice.
In Feb. 1946, the African-American
Company "C" of the 370th Infantry
Battalion was assigned to trial security,
replacing the 18th and 26th Infantry
Battalions.

1

1   Gleich hinter dem Justizpalast befand sich das Untersuchungsgefängnis. In den vier sternförmig angelegten Zellentrakten mit jeweils drei Stockwerken waren während des Prozesses die Hauptangeklagten, ferner wichtige Zeugen, ein kleines Kontingent Kriegsgefangener sowie verschiedene zeitweilig unter Hausarrest gestellte Personen untergebracht.

2   Das „Prison Center" im Nürnberger Militärgefängnis. Auf der Stecktafel wird exakt registriert, welcher Angeklagte in welcher Zelle einsitzt, gerade vor Gericht auftritt oder wegen Krankheit verlegt wurde.

3   Der Traum jedes Wachsoldaten – Zeit fürs Kartenspielen. (Mit Ausnahme eines italienischstämmigen Soldaten aus Brooklyn, N.Y. stammen alle übrigen Wachsoldaten aus kleinen Dörfern in Wisconsin und Michigan.)

238 OMTPJ-P-4

1   Located immediately behind the Palace of Justice was the jail. During the trials, 23 main defendants, important witnesses, a small number of POWs as well as people temporarily placed under house arrest were held in the four star-shaped, three-story jail tracts.

2   "Prison Center" in the Nuremberg Military Prison. Registered on the bulletin board is the exact location of each inmate, whether he's currently in a cell, appearing in court or has been moved due to illness.

3   The dream of every guard – time for playing cards. (With the exception of an Italian-American soldier from Brooklyn, N.Y., all of the guards are from small towns in Wisconsin and Michigan.)

2

3

238 OMTPJ-P-24
111 SC-216133

1

2

3

1 Blick in den „Criminal Wing I" im Erdgeschoss, in dem u.a. Göring und Hess inhaftiert waren. Ganz links der „chief warden", der Chef der Gefängnisaufseher, dann einer der „escort sergeants", von denen die Angeklagten in den Gerichtssaal geführt wurden, rechts der zuständige Offizier. Vor den Zellen baltische Wachmänner.

2 Wiederum „Criminal Wing I", diesmal eine Besprechung zwischen einem US-Soldaten und einem Dolmetscher, der die Kommunikation zwischen der US-Army und den „displaced persons" aus dem Baltikum, die von der US-Armee eingestellt und für untergeordnete Arbeiten eingesetzt wurden, gewährleisten musste.

3 Baltische Gefängnisaufseher im Zellenkorridor I des Nürnberger Zellengefängnisses – der Maschendraht wurde auf allen Gängen gespannt, um Selbstmordversuche der Angeklagten zu vereiteln.

1 View of "Criminal Wing 1" on the ground floor, in which, among others, Göring and Hess were held prisoner. Pictured at the far left is the chief warden, next to him one of the escort sergeants who accompanies defendants into court, and at the right the Commanding Officer. In front of the cells are guards from the Baltic region.

2 Again "Criminal Wing 1", this time a conversation between a US soldier and an interpreter, who had to make sure communication was possible between the US Army and displaced persons from the Baltic region. They were hired by the US Army to carry out menial tasks.

3 Baltic guards in Cell Corridor 1 of the Nuremberg Jail. The wired fencing was installed in all corridors to prevent defendants from attempting suicide.

238 OMTPJ-P-12

1

1   Hermann Göring am 21.12.1945 bei der Einnahme des Frühstücks in seiner Gefängniszelle. Die Häftlinge hatten weder Messer noch Gabeln. Der Löffel wurde ihnen sofort nach jeder Mahlzeit wieder abgenommen.

2   Ein baltischer Gefängnisaufseher nach einem Kontrollblick in die Zelle 29; die Essensluken blieben ständig geöffnet, um die Überwachung der Häftlinge zu erleichtern.

3   Ein baltischer Gefängnisaufseher vor der Zelle 65, einer Doppelzelle. Nach dem Selbstmord von Robert Ley am 25.10.1945 bekamen die 21 verbliebenen Hauptangeklagten rund um die Uhr einen Aufseher vor ihre Zellentür postiert.

1   Hermann Göring on December 21, 1945, while having breakfast in his jail cell. The inmates are given neither a knife nor a fork. Their spoons are taken from them immediately after each meal.

2   A Baltic jail warden after having a look into cell 29; the meal hatches stayed open permanently to ease the guarding of inmates.

3   A Baltic jail warden checking cell 65, a double cell. After the suicide of Robert Ley on Oct. 25, 1945, the 21 remaining defendants received around-the-clock guards positioned in front of their cell doors.

2

3

238 OMTPJ-P-19
238 OMTPJ-P-13

1

2

3

1   Der Tisch in Hermann Görings Zelle
hätte ein Menschengewicht nicht tragen
können. Damit sollten Selbstmordversuche vermieden werden.

2   Göring in seiner Zelle bei der Lektüre
des Buchs „Das gewonnene Leben".

3   Eine typische Zelle im Nürnberger
Prozessgefängnis. Jede Zelle verfügt über
eine Toilette mit Spülung, eine Strohma-
tratze, Wolldecken und einen Tisch, der
so gebaut ist, dass er das Gewicht des
Insassen nicht trägt.
Die Beleuchtung der Zelle wurde verändert, um Selbstmorde zu verhindern.

1   The table in Hermann Göring's cell
wouldn't have been able to hold the
weight of a person. This was a suicide
prevention measure.

2   Göring in his cell reading the book
"Das gewonnene Leben" (The Gained
Life).

3   A typical cell in the jail of the
Nuremberg trials. Each cell contains a
flush toilet, a straw mattress, wool blan-
kets and a table not built strong enough
to hold an inmate's weight.
The lighting fixtures were modified to
prevent suicides.   238 OMTPJ-P-11

1

1   Captain Ariel H. Achtermann aus
Southern Pines, North Carolina zelebrier-
te als evangelischer Pfarrer jeden Sonn-
tag eine deutschsprachige Messfeier für
die Häftlinge. Die Gefangenen konnten
auch eine katholische Messe besuchen.

2   Unter dem kritischen Auge eines bal-
tischen Aufsehers wird Wasser zum Wa-
schen an die Häftlinge verteilt. Um sie-
ben Uhr stehen die Häftlinge auf und
müssen ihre Zellen mit einem Besen und
einem Mopp säubern.

3   Wäscheausgabe an die Häftlinge.

4   Die zahnmedizinische Behandlung
der Häftlinge in Nürnberg übernahm
Dr. Heinrich Hoch, ein deutscher Zahn-
arzt, der als ziviler Angestellter für die
amerikanische Militärregierung OMGUS
tätig war. Die Praxis befand sich in einer
mit minimalem Aufwand umgebauten
Gefängniszelle. Der Gesundheitszustand
und das Gewicht der Angeklagten wurden täglich überprüft.

1   Captain Ariel H. Achtermann, a
protestant minister from Southern Pines,
North Carolina, held German language
services every Sunday for the inmates.
Inmates were also able to attend Catholic
mass.

2   A Baltic warden watches critically
while water for washing is distributed to
the inmates. At seven a.m. the inmates
get up and have to clean their cells with
a broom and a mop.

3   Laundry being distributed to the
inmates.

4   Dental care of the inmates in Nuremberg was taken over by Dr. Heinrich
Hoch, a German dentist who acted as a
civilian employee of the American military government OMGUS. His office was
located in a jail cell rebuilt at a minimal
cost. The physical condition and weight
of the defendants were checked daily.

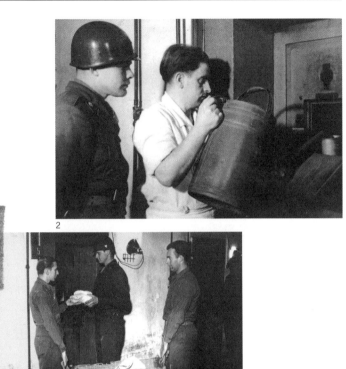

2

3

4

1

2

1 Dieses am 29. Mai 1947 angefertigte Foto zeigt den Hof des Gefängnisses in Nürnberg, in dem die Angeklagten beim täglichen Hofgang eine Stunde lang ihre Runden drehten.

1 This picture, taken on May 29, 1947, shows the courtyard of the jail in Nuremberg in which the defendants took a daily one-hour walk.

3

2 Hofgang in Nürnberg – abgebildet (v. links) sind Fliegergeneral Helmuth Felmy, Generalfeldmarschall Maximilian von Weichs und Hermann Foertsch, drei der insgesamt elf Generäle, die 1947 beim Prozess gegen die Südost-Generäle („Case 7") wegen Kriegsverbrechen auf dem Balkan unter Anklage standen. (Foertsch Freispruch, Verfahren gegen v. Weichs eingestellt, Felmy 15 Jahre Haft, aber schon 1951 entlassen.)

3 Der Angeklagte Wilhelm Beiglböck (hinter der Glasscheibe), Oberarzt in Wien und später wegen grausamster Humanversuche zu 15 Jahren Haft verurteilt, bespricht sich im Anwaltszimmer mit seinem Verteidiger, RA Dr. Gustav Steinbauer aus Wien. Der ständig anwesende Wachsoldat musste u.a. alle Schriftstücke prüfen, die der Rechtsanwalt durch eine Klappe an seinen Mandanten weiterreichte.

2 Courtyard walk in Nuremberg – pictured here (from left) are Air Force General Helmuth Felmy, General Field Marshals Maximilian von Weichs and Hermann Foertsch, three of a total of eleven generals who stood trial in Case Seven, a trial of the Southeast Generals for war crimes committed in the Balkans. (Foertsch was acquitted, charges against von Weichs were dropped, and Felmy was sentenced to 15 years imprisonment, however released in 1951).

3 The defendant Wilhelm Beiglböck (behind the glass pane), a medical doctor from Vienna who was later sentenced to 15 years imprisonment for cruel experimentation on humans, consults his attorney, Dr. Gustav Steinbauer from Vienna, in the Attorneys' Conference Room. The guard who is constantly present has to, among other things, check all written exchanges which the attorney passes to his client through a slot. 238 OMT-I-D-77

1

1   Die Angeklagte Dr. Hertha Oberheuser im Anwaltszimmer mit ihrem Verteidiger, RA Dr. Rudolf Ratz – Oberheuser war Ärztin im Frauen-KZ Ravensbrück gewesen und wurde wegen medizinischen Versuchen an Menschen zu lebenslanger Haft verurteilt.

2   „Case 12", der Prozess gegen das OKW (Oberkommando der Wehrmacht) – die Angeklagten auf dem Weg zum Sitzungssaal. Man beachte den Maschendraht, der das Treppenhaus gegen etwaige Selbstmordversuche sicherte.

3   Garderobe vor dem Gerichtssal 600; hier deponierten die Hauptangeklagten ihre bewachten Mäntel. Uniformen ohne Rangabzeichen konnten getragen werden, ansonsten graue Zivilanzüge und ein feingestreiftes Hemd.

1   The defendant Dr. Hertha Oberheuser in the Attorneys' Conference Room with her lawyer, Dr. Rudolf Ratz – Oberheuser had been a medical doctor at the women's concentration camp in Ravensbrück and was given a life sentence for conducting medical experiments on humans.

2   "Case 12", the trial against the OKW (Oberkommando der Wehrmacht); the defendants on their way to the conference room. Note the wiring installed to prevent suicide attempts.

3   Coat rack in front of Courtroom 600: This is where the highest Nazi government officials charged with war crimes left their closely guarded coats. Uniforms without ranking stripes were allowed to be worn, otherwise grey civilian suits with a pinstriped shirt.

2

3

238 OMTPJ-P-26
111 SC-220283

1

1   Blick auf die US-Soldaten mit ihren weißen Helmen, weißen Koppeln und weißen Schlagstöcken, die hinter und neben den angeklagten Hauptkriegsverbrechern Wache halten.

1   American soldiers in their white helmets, white belts and white batons, who keep watch of the main defendants behind and next to them.

2   SS-Brigadegeneral Erich Naumann, Leiter einer von Himmlers Einsatzgruppen in der Sowjetunion, bei der Urteilsverkündung im „Case 9". Naumann wurde wegen Kriegsverbrechen, Verbrechen gegen die Menschlichkeit und Mitgliedschaft bei SS und SD zum Tode durch den Strang verurteilt.

3   SS-Oberstleutnant Otto Rasch wird auf eigenen Wunsch auf einer Bahre in den Gerichtssaal getragen. Rasch, der im „Case 9" als Einsatzgruppenleiter wegen der Ermordung von mehr als 75 000 „politisch und rassisch unerwünschten Elementen" in und um Kiew im Jahre 1941 unter Anklage stand, entwickelte während des Verfahrens ein medizinisch ungeklärtes „Nervenleiden".

2

2   SS-Brigade General Erich Naumann, commander of one of Himmler's units in the Soviet Union, at the handing down of the verdict in Case Nine; Naumann was sentenced to death by hanging for crimes against humanity and for his membership in the SS and SD.

3   SS Oberstleutnant Otto Rasch was carried into the courtroom on a stretcher at his own request. Rasch, who stood trial in Case Nine for the murder of more than 75,000 "political and racial undesirables" during his involvement as unit commander in and around Kiev in 1941, developed a medically undiagnosed "nervous condition" during the trial.

3

Teilansicht des Übersetzerbüros.

Partial view of the translating office.

Arbeit der Übersetzer und Dolmetscher   Task of Translating and Interpreting

Beim IMT galt es in vieler Hinsicht Neuland zu betreten – nicht nur juristisch, sondern ebenso, was die Überfülle an prozessverwendbarem Beweismaterial und die technischen Erfordernisse der Prozessführung in vier Sprachen anging. IBM entwarf und konstruierte eine Anlage für zwölf Simultandolmetscher (jeweils zwei pro Sprache Englisch, Französisch, Russisch, Deutsch, dazu jeweils ein Kontrolleur), deren Simultanübersetzung im Gerichtssaal gleichzeitig über fast 300 Kopfhörer empfangen und mittels einer Wählscheibe auf die gewünschte Sprache eingestellt werden konnte, ferner über Lautsprecher in einen eigens eingerichteten großen Saal für die Pressevertreter übertragen wurde. Die Nürnberger Prozesse waren aber auch eine Materialschlacht fast unvorstellbaren Ausmaßes: Allein die Verlesung der 215 Druckseiten des Urteils des Prozesses gegen die 21 Hauptkriegsverbrecher nahm anderthalb Tage in Anspruch, im Verlaufe der 218 Verhandlungstage des IMT wurden 236 Zeugen angehört und 300 000 eidesstattliche Erklärungen (Affidavits) zu den Akten genommen, 780 000 Kopien auf 13 000 Rollen Fotopapier angefertigt. Die Protokolle des Verhandlungsverlaufs des Internationalen Militärtribunals selbst umfassen 13 832 Seiten, alle 218 Verhandlungstage sind zusätzlich Wort für Wort auf 27 000 Meter Tonband und 7 000 Schallplatten festgehalten. Insgesamt wurden zur Vorbereitung und Führung der 13 Prozesse

At the IMT, new ground was being broken in several areas – not only in legal terms, but also in sorting the volume of evidence useful to the trials and the technical demands of holding a trial in four languages. IBM designed and developed a device for the use of 12 interpreters (two each in English, French, Russian, German, plus a supervisor in each language) whose translations were fed simultaneously into over 300 headsets which one could adjust to the required language. Translations were also transmitted into loudspeakers in a specially designed press room.
The Nuremberg Trials produced a mountain of documents of mammoth proportions: The reading of the 215-page verdict in the case vs. the 21 highest Nazi officials alone took a day and a half to complete. During the course of the 218 days in court at the IMT, 236 witnesses were heard, 300,000 affidavits were collected, and 780,000 copies on 13,000 rolls of photograph paper were made. The courtroom minutes at the IMT covered 13,832 pages, and all 218 days of the trials were recorded word for word on LP. A total of 4,000 tons of written evidence was filed for preparing and carrying out the trials: "Soldiers kept on bringing us truckloads of material to Nuremberg. From everywhere: from mines, archives, palaces; from all corners of the Great German Reich. The entire Nazi State had been documented. The Nazis were experts at this. But for us it

rund 4000 Tonnen schriftliches Beweismaterial archiviert und gesichtet:
„Ständig brachten unsere Soldaten LKW-
weise neues Material nach Nürnberg.
Von überall her: aus Bergwerken, Archi-
ven, Schlössern. Aus allen Teilen des frü-
heren Großdeutschen Reiches. Der ganze
NS-Staat war sozusagen dokumentiert.
Darin waren die Nazis ja Meister. Aber
für uns war es ein Chaos. Überall lagen
Aktenstöße bis zu den Decken hoch. Das
war alles durchzuforsten im Hinblick auf
seine Relevanz für den Prozess. (…) Wir
haben das Archiv angelegt, registriert,
abgestempelt, katalogisiert. Von den Dokumenten mussten Kopien angefertigt
werden. Die Übersetzersektionen waren
nach Themen geordnet. (…) Wo sonst
wurde ein Staat so systematisch durch-
forscht wie in diesem Prozess? Das Re-
sultat ist, dass der Holocaust niemals
vergessen wird. Nürnberg wird immer
wichtig sein als Beispiel für die Zivilisa-
tion. Für die ‚Human Rights'. Diese
Worte werden seitdem großgeschrieben."
(Jane Lester, ab November 1945 Über-
setzerin bei den Nürnberger Prozessen
und Assistentin von US-Ankläger Dr.
Robert Kempner; zit. nach dem Interview
mit R. Papadopoulos-Killius in Gerd R.
Ueberschär (Hg), S. 48–51.)

was total chaos. Lying around everywhere were files piled up to the ceiling.
This all had to be sorted out considering
its relevance to the trial. (…) We set up
an archive, registering, stamping, and
cataloguing everything. The translation
departments were divided according to
topic. (…) Where else was a government
so thoroughly researched as at this trial?
The result is that the holocaust will
never be forgotten. Nuremberg's role will
always be an example to civilization. For
Human Rights. Capitalized."
(Jane Lester, a translator who began
working in November 1945 at the trials
as an assistant to US prosecutor
Dr. Robert Kempner; quoted in an interview with R. Papadopoulos-Killius in
Gerd R. Ueberschaer (Hg), P. 48-51).

1

2

1   Die beiden Signallampen auf dem Richtertisch: die rote brennt, wenn der Dolmetscher den Sprecher zu einer Pause auffordert, die gelbe, wenn er/sie langsamer sprechen soll. Alle Anwesenden im Gerichtssaal mussten einen Kopfhörer tragen und für ihre Stellungnahmen ein Mikrophon benutzen.

2   Die Kabinen für die jeweils drei Dolmetscher: vorne rechts Übersetzung ins Englische, vorne links ins Russische, hinten links ins Deutsche, hinten rechts ins Französische.

1   The two signal lights on the judge's table: the red bulb lights up when the interpreter requests the speaker to stop, and the yellow when he or she should slow down. Anyone wishing to be heard and to have their words translated must use microphones for their testimony.

2   The cubicles, each for three translators: front right for English, front left Russian, back left German and back right French.

238 NT Box 1-11

1

1   „Hinter der gläsernen Trennwand neben der Box der Häftlinge ist das angespannte Gesicht der dunkelhaarigen Frau, die übersetzen muss, zwischen glänzenden Kopfhörern zu sehen. Ihr Gesicht ist eine Maske des Schreckens. Manchmal scheint ihre Kehle wie zugeschnürt, so dass sie Mühe hat, die entsetzlichen Worte auszusprechen."
(so John Dos Passos, S.88)

2   Die Dolmetscher und ihr Kontrolleur.
rechts: Thomas Rosenthal (aus dem Englischen ins Deutsche),
mitte: Eric R. Simha (aus dem Deutschen ins Englische),
links: Fred C. Treidell, der die Korrektheit der Übersetzung überwachen musste.

1   "Behind the glass divider we can see, between the shiny headphones and next to the inmates' box, the tense face of the dark-haired woman required to translate. Her face is a mask of fear. Sometimes her throat seems to be tied shut, making it difficult for her to pronounce such horrible words." (John Dos Passos, p. 88)

2   The interpreters and their monitor: right to left are Thomas Rosenthal (English to German), Eric R. Simha (German to English), Fred C. Treidell, who is responsible for monitoring the accuracy of the translations.

2

3

3   Vier Gerichtsreporter bei der Verneh-
mung von Erhard Milch, Generalinspek-
teur der Luftwaffe, im 2. US-Nachfolge-
prozess: Ottilie Bamberger aus Nürnberg,
Therese Brander aus München, Rita M.
Gaylord und George Kupperstein aus
New York. Man beachte Kleidung und
technische Ausstattung: Bleistift und Papier gegenüber damals modernste Steno-
grafiermaschinen.

3   Four court reporters during the
arraignment of Field Marshal Erhard
Milch, in Case Two: (from left to right)
Ottilie Bamberger from Nuremberg,
Therese Brander from Munich, Rita M.
Gaylord and George Kupperstein from
New York. Note dress and equipment:
paper and pencil contrasting with then
state-of-the-art stenography machines.

Links die Richterbank, davor die Anklagevertreter, hinten der Saal für die Presse.

At the left the judges' bench, in front that
of the prosecution team, at the back the
press corps hall.

Ankläger, Angeklagte und Verteidiger, Zeugen

Prosecutors, Defendants, Defense Attorneys and Witnesses

Die Nürnberger Prozesse gehören ohne Frage, wie Klaus Kastner in der Vorbemerkung zu seinem Buch „Der Nürnberger Prozess" ausführt, zu den „Prozesse(n), die in die Weltgeschichte eingingen". Das liegt zum einen an der zeitgeschichtlichen Bedeutung des Verfahrens der vier Siegermächte, zum anderen aber an der Tatsache, dass das gesamte System der Naziherrschaft in all seinen ideologischen und bürokratischen Verästelungen und den tausend schrecklichen Details seines Terrorregimes ans Licht der Öffentlichkeit gebracht wurde: „Der Quellenwert der Nürnberger Verhandlungen und der Beweisdokumente, aber auch der im Umkreis des Prozesses entstandenen reichen Publizistik ist außerordentlich und für die Geschichtswissenschaft noch immer grundlegend." (Peter Steinbach in Ueberschär, S. 37)
Es bedurfte eines gewaltigen Stabes an Mitarbeitern, um die Tausende von Tonnen an Beweismaterial zu sichten und die wesentlichen Dokumente in die vier Verhandlungssprachen zu übersetzen, damit daraus eine solide Anklage angefertigt werden konnte – so bekam Léon Dostert, der Dolmetscher General Eisenhowers, den Auftrag, zirka 400 bis 500 Dolmetscher und Übersetzer ausfindig zu machen und für den Einsatz in Nürnberg zu gewinnen. Zu ihnen gesellten sich bald die zahlreichen Mitarbeiter, von denen die weitere gerichtsverwertbare Aufarbeitung der Dokumente und die Verhöre der Angeklagten übernommen wurde;

The Nuremberg Trials are, without a doubt, according to Klaus Kastner in the forward to his book "Der Nürnberger Prozeß", "trials which went down in history". One reason for this is the historic significance of the Allied cooperation in the trials, but also the fact that the entire ideology and bureaucratic reach of the Nazi regime were brought to light. "Not only the value of information and evidence brought forth in Nuremberg, but also the accompanying journalism are exceptional and historically essential."
(Peter Steinbach in Ueberschaer, p. 37)

Zeugin Wladislawa K. aus Polen, ein Opfer „medizinischer Versuche".

Witness Wladislawa K., a Polish victim of "medical experiments". 238 OMT-I-W-11

auf Seiten der USA waren hierfür zwei getrennte Stäbe eingerichtet, die „Documentation Division" und die „Interrogation Division". Alles in allem kamen allein auf Seiten der Amerikaner mitsamt den Richtern, Anklägern und all dem militärischen Personal, die mitten in einer vom Krieg zerstörten Stadt für die Sicherheit des Verfahrens, die Inhaftierung der Angeklagten und auch der Zeugen, für Verpflegung, Logistik, Fuhrpark, Unterbringung, Beschaffung von Heizmaterial, die Einrichtung der Infrastruktur für Telekommunikation und Vervielfältigung, für Pressebetreuung und Prozessabwicklung zuständig waren, zuletzt etwa 2000 Personen zusammen, die mit der Vorbereitung und Durchführung der Prozesse befasst waren.

Das britische Kontingent umfasste mit seinen zwei Richtern, drei Anklägern und deren Stäben samt Sekretären, Dolmetschern und Übersetzern sowie einer Abordnung der Scots Guards rund 170 Personen, die französische Delegation zählte zirka 100 bis 120 Personen, die Sowjets stellten mit nur 24 Mann die kleinste Gruppe. Neben den vier auf der Richterbank vertretenen Nationen waren sogar noch weitere einst von Deutschland besetzte Länder mit eigenen Delegationen vertreten: Polen, Jugoslawien, Tschechoslowakei, Dänemark, Norwegen, Niederlande, Griechenland.

Sie waren nur als Beobachter zugelassen, steuerten aber zuweilen zusätzliches Beweismaterial bei.

Selbstverständlich sind auch noch die Hauptangeklagten zu nennen, die zusammen über 27 Hauptverteidiger sowie einen Stab von 54 Assistenten und 67 Sekretärinnen verfügten.

Als Fußnote sei erwähnt, dass die Geschlechterverteilung in den Stäben nach den Darstellungen der darin aktiv gewesenen Zeitzeugen in etwa gleichgewichtig verteilt war (mit Ausnahme der Richter und Ankläger und Verteidiger beim IMT, wohlgemerkt; bei den Nach-

It required an enormous number of employees to review the thousands of tons of evidence and to translate the substantial documents into four working languages, in order to be able to form a solid case. For this purpose Léon Dostert, General Eisenhower's interpreter and translator, was awarded the job of finding 400-500 translators willing to come to Nuremberg to work. Joining them soon were office workers preparing the translated documents for courtroom use and gathering testimony. The Americans established two separate departments for fulfilling these duties, the "Document Division" and the "Interrogation Division". All in all, counting judges, prosecutors, military personnel providing security to the war-torn city of Nuremberg, and personnel for jail security, service, logistics, telecommunications installations, copying, and the press, the Americans employed around 2,000 people preparing for and carrying out the trials.

The British contingency included two judges, three prosecutors and their staffs, translators and interpreters and a unit of Scots Guards, adding up to approximately 170 people. The French delegation numbered 100-120, and the Soviets formed the smallest team with 24 representatives. In addition to these four nations which provided the trials' judges, delegations from countries formerly occupied by the Germans were represented: Poland, Yugoslavia, Czechoslovakia, Denmark, Norway, The Netherlands and Greece. They were admitted only to observe, but assisted with providing further evidence.

Not to be forgotten are of course the main defendants, their 27 defense attorneys and a staff of a total of 54 assistants and 67 secretaries.

As a footnote it is interesting to point out that staffs were comprised about equally of both genders, with the exception of the all-male judges and the prosecutors

folgeprozessen gab es aber immerhin drei Anklägerinnen, umgekehrt nur einige wenige weibliche Angeklagte).
Die 236 Zeugen teilten sich in die Gruppen der Ent- und Belastungszeugen auf. Die Ankläger hatten sich aber zuvor darüber verständigt, bevorzugt schriftliche Dokumente zur Beweisführung heranzuziehen. Die Zeugen der Opfer und Überlebenden „gaben stellvertretend den Millionen namenlosen Opfern, den nicht erschienen Anklägern, ein Gesicht und eine Stimme und bürgten damit für die Authentizität der Dokumente".
(Tomas Fitzel, in Überschär S.60)

and defense lawyers; at the follow-up trials there were three female prosecutors and a few female defendants.
The 236 witnesses included those testifying for the prosecution as well as the defense. Prosecution agreed in advance to the preferred use of written documents and testimony. The surviving witnesses testified in place of the millions of absent, anonymous victims, "lending a voice and a face to the authenticity of the documents". (Tomas Fitzel, in Überschär p.60)

Fred Rodell (rechts) verhört den Begleitarzt Hitlers, Generalleutnant der Waffen-SS Prof. Dr. Karl Brandt (2.v.l.), ab 1944 Reichskommisssar für das Sanitäts- und Gesundheitswesen, im Ärzteprozess „Case 1" als Verantwortlicher für das Euthanasieprogramm „Aktion T4" (allein in Phase I Sept. 1940 bis Aug. 1941 ca. 75 000 Ermordete) zum Tode verurteilt.
Neben Brandt sein Verteidiger, Dr. Rudolf Schmidt, am Kopf des Tisches die Stenografin.

Fred Rodell (right) questioning Hitler's personal physician, General Lieutenant of the Waffen-SS Prof. Dr. Karl Brandt (2nd left), who in 1944 became the Reich's Commissioner for Medical and Health Services. He was sentenced to death in the medical trial, Case One, for his role in the euthanasia program "Aktion T4", where, in phase 1 alone, from Sept., 1940 to Aug., 1941, 75,000 people were killed.
Seated next to Brandt is his defense attorney, Dr. Rudolf Schmidt, and at the head of the table the stenographer.

238 OMT-I-D-60

1

1   Die drei Anklagevertreter der USA
beim Internationalen Militärtribunal –
von links nach rechts: Brigadegeneral
Telford Taylor, stellvertretender US-Ankläger, Justice Robert H. Jackson, Chefankläger der USA, Thomas J. Dodd,
stellvertretender US-Ankläger.

2   Dr. Robert Kempner, deutscher Jurist
aus Freiburg, bis 1933 im preußischen
Innenministerium tätig, dann emigriert
und 1939 in die USA ausgewandert.
Kempner war beim IMT US-Anklagever-
treter gegen Reichsinnenminister Frick,
später Chefankläger im „Case 11",
dem sog. Wilhelmstraßen-Prozess gegen
das Auswärtige Amt und weitere Nazi-
ministerien.

3   Dorothea G. Minskoff, eine der drei
Anklägerinnen bei den Nürnberger
Prozessen, bei einer Verhandlung im
Wilhelmstraßen-Prozess; neben ihr
Warren P. Magee, der einzige amerikani-
sche Anwalt, der in Nürnberg einen der
Angeklagten vertrat: Magees Mandant
war Baron Ernst von Weizsäcker, von
1938 bis 1943 Staatssekretär des AA.

1   The three US representatives of the
prosecution at the International Military
Tribunal – from left to right: Brigade
General Telford Taylor, assistant US
prosecutor; Justice Robert H. Jackson,
Chief US prosecutor; Thomas J. Dodd,
assistant US prosecutor.

2   Dr. Robert Kempner, German lawyer
from Freiburg, active until 1933 in the
Prussian Interior Ministry, left Germany
and emigrated to the U.S. in 1939.
Kempner was the US prosecuting
representative to the IMT against Reich
Interior Minister Frick, and later chief
prosecutor in Case Eleven, the so-called
Wilhelm Street Trial of the Foreign
Ministry and other Nazi Ministries.

3   Dorothea G. Minskoff, one of three
female prosecutors at the Nuremberg
trials, at a hearing in the Ministries Case;
standing next to her is Warren P. Magee,
the sole American attorney defending a
German in Nuremberg: Magee's client
was Baron Ernst von Weizsäcker,
Secretary of State from 1938 to 1943.

2

3

1

1   Februar 1948 – die Anklagevertreter im „Case 12", dem Prozess gegen das OKW (wobei von 14 angeklagten Generälen nur drei tatsächlich zum OKW gehört hatten): links oben US-Chefankläger Telford Taylor, links Mitte Paul Niedermann, leitender Ankläger in diesem Verfahren, links unten Morton S. Barbour, Niedermanns Stellvertreter.

2   Die US-Ankläger, dazu zwei Prozessbeobachter aus Norwegen und Griechenland sowie mehrere wissenschaftliche Berater an ihrem Tisch während des Verfahrens gegen die „Südost-Generale".

2

1   February 1948 – the prosecution representative in Case Twelve, the trial of the OKW (although only three of the 14 accused generals actually belonged to the OKW): Top left US Chief of Counsel for War Crimes Telford Taylor, left center Paul Niedermann, leading prosecutor in this case, lower left Morton S. Barbour, Niedermann's deputy.

2   US prosecutors, are joined at their table by observers from Norway and Greece as well as several research analysts during the case of the "Southeast Generals".

3

3   Die doppelreihige Bank der Angeklagten beim ersten Nürnberger Kriegsverbrecherprozess mit 21 der einst führenden Nazigrößen. (vorne, von links: Göring, Hess, v. Ribbentrop, Keitel, Kaltenbrunner, Rosenberg, Frank, Frick, Streicher, Funk, Schacht; hinten: Dönitz, Raeder, v. Schirach, Sauckel, Jodl, v. Papen, Seyß-Inquart, Speer, v. Neurath, Fritzsche.)
Vor den Angeklagten sitzen die Strafverteidiger. „Wenige Zentimeter neben Görings Ellenbogen hat die stumme Präsenz dieses jungen Menschen etwas Feierliches und Symbolisches. Hier also ist der mächtige, gefürchtete, harte, schreckliche, prächtige Feldmarschall der Nazis, der von einer Art großem Jungen mit einem weißen Stöckchen bewacht wird." (So Victoria Ocampo, zitiert nach Freibeuter 66, 1995.)

3   The two rows of defendant benches at the first of the Nuremberg war crimes trials with 21 former leading Nazi officials. (In front, from left: Göring, Hess, von Ribbentrop, Keitel, Kaltenbrunner, Rosenberg, Frank, Frick, Streicher, Funk, Schacht; In back: Dönitz, Raeder, von Schirach, Sauckel, Jodl, von Papen, Seyss-Inquart, Speer, von Neurath, Fritsche.) Their defense attorneys are seated in front of them.
"Just a few centimeters next to Göring's elbow, the quiet presence of this young man has something celebratory and symbolic. So this is the Nazi's powerful, feared, hard, horrible, splendid Field Marshal, being guarded by a big boy with a little white stick." (According to Victoria Ocampo, quoted from Freibeuter 66, 1995.)

238 NT Box 9-592

1

1   Die Verteidiger der angeklagten Hauptkriegsverbrecher:
1. Reihe, von links: Dr. Egon Kubuschok (von Papen), Dr. Robert Servatius (Sauckel/Seyß-Inquart), Dr. Alfred Seidl (Frank), Dr. Hans Marx (Streicher); ·
2. Reihe, v. I.: Dr. Franz Exner (Jodl), Dr. Fritz Sauter (von Ribbentrop/Funk/ von Schirach), Dr. Otto Stahmer (Göring), Dr. Walter Ballas (Krupp von Bohlen/ Halbach), Dr. Hans Flächsner (Speer), Dr. Gunther v. Rohrscheidt (Hess);
3. Reihe, v. I. Georg Fröschmann (v. Ribbentrop), Dr. Heinz Fritz (Fritzsche), Dr. Otto Pannenbecker (Frick), Alfred Thoma (Rosenberg), Kurt Kauffmann (Kaltenbrunner), Dr. Hans Latermeer (Seyß-Inquart).

1   The attorneys defending the high accused Nazi war criminals: Photographed from left to right are: Front row: Dr. Egon Kubuschok (defending von Papen), Dr. Robert Servatius (Sauckel/ Seyss-Inquart), Dr. Alfred Seidl (Frank), Dr. Hans Marx (Streicher); Second row: Dr. Franz Exner (Jodl), Dr. Fritz Sauter (von Ribbentrop/Funk/ von Schirach), Dr. Otto Stahmer (Göring), Dr. Walter Ballas (Krupp, von Bohlen/ Halbach), Dr. Hans Flächsner (Speer), Dr. Gunther von Rohrscheidt (Hess); Third row: Georg Fröschmann (von Ribbentrop), Dr. Heinz Fritz (Fritsche), Dr. Otto Pannenbecker (Frick), Alfred Thoma (Rosenberg), Kurt Kauffmann (Kaltenbrunner), Dr. Hans Latermeer (Seyss-Inquart).

2   Baron Ernst v. Weizsäcker, Ex-Staatssekretär des Auswärtigen Amts und Angeklagter im „Case 11", im Gespräch mit seinem Sohn Richard (später Bundespräsident), damals 28jähriger Jurastudent und im Prozess Assistent des Verteidigers Hellmut Becker.

2   Baron Ernst von Weizsäcker, former State Secretary in the German Foreign Office and defendant in Case Eleven, conversing with his son Richard (later to become president of Germany), at the time a 28 year-old law student and assisting defense counsel to Hellmut Becker.

2

3

3   Luftwaffengeneralarzt Prof. Dr.
Gerhard Rose im Gespräch mit seinem
Verteidiger Dr. Heinz Fritz; Rose wurde
im „Case 1", dem Nürnberger Ärzteprozess, wegen u.a. der Experimente mit
Fleckfieberimpfstoffen im KZ Buchenwald zu lebenslänglicher Haft verurteilt.

3   Prof. Dr. Gerhard Rose, Medical
General of the Luftwaffe, consulting his
defense lawyer Dr. Heinz Fritz; in Case
One, the Medical Case of the Nuremberg
Trials, Rose was sentenced to life imprisonment for his involvement, among
other things, in the Ding typhus vac-
cination experiments on Buchenwald
Camp inmates.

238 OMT-XI-D-60
238 OMT-I-D-107

1

1 Dr. Wilhelm Stuckart (sitzend), unter Himmler Staatssekretär im Reichsministerium des Inneren, im Gespräch mit seinem Verteidiger Dr. Hans von Stackelberg. Stuckart war federführend bei der Ausarbeitung der Nürnberger Rassengesetzgebung, Koautor des „Stuckart-Globke"-Kommentars, 1942 persönlich bei der Wannsee-Konferenz anwesend. Man beachte die Wandtafel mit den Abteilungen des Ministeriums.

1 Dr. Wilhelm Stuckart (seated), a subordinate to Himmler as State Secretary of the German Ministry of the Interior, confers with his defense counsel, Dr. Hans von Stackelberg. Stuckart played a leading role in formulating the Racial Purity Laws of Nuremberg, co-authoring the "Stuckart-Globke" Commentary, and personally present at the 1942 Wannsee Conference. Note the wall chart with its ministry divisions.

2

2   Herbst 1947: Bekanntgabe der Anklage für die 14 Beschuldigten des
„Case 8" (Prozess gegen das SS-Rasse-
und Siedlungshauptamt wegen Deporta-
tionen, Zwangsadoptionen, Verschlep-
pungen von Kindern, erzwungener
Schwangerschaftsabbrüche bei Ostarbei-
terinnen etc.). Links Inge Viermetz, einzige Angeklagte in diesem Verfahren, ehe-
mals stellv. Leiterin der Hauptabteilung A
der Organisation „Lebensborn".

2   Fall of 1947: Examining the indict-
ment served against 14 suspects in Case
Eight (Trial of the SS for its practices
of kidnapping foreign children, forced
abortions and labor, extermination, and
other crimes.) Seated at the left is Inge
Viermetz, the only female defendant in
this case, former director of Head Office
A of the Organization "Lebensborn".

1

1   After being acquitted in the trial of the highest Nazi officials, Franz von Papen, Hjalmar Schacht and Hans Fritsche give a press conference. Apart from the three acquittals, four sentences of 10, 15 and 20 years, three life sentences and twelve death sentences were handed down.

2   Johanna Wolf (left), private secretary to Hitler from 1930 until his death, and Ingeborg Speer, private secretary to Rudolf Hess until his ominous flight to England, meet at the International Military Tribunal as court witnesses in January 1946.

3   Heinrich Hofmann, Hitler's personal photographer, was summoned to Nuremberg with his complete collection of photographs, ordered to file them into the official archives; he was later sentenced to prison.

1   Nach ihrem Freispruch im Hauptkriegsverbrecherprozess stellen sich Franz von Papen, Hjalmar Schacht und Hans Fritzsche der Presse. Es ergingen drei Freisprüche, vier Haftstrafen zu 10, 15 und 20 Jahren, dreimal lebenslänglich und zwölf Todesurteile.

2   Johanna Wolf (links), seit 1930 Hitlers Privatsekretärin, und Ingeborg Speer, Privatsekretärin von Rudolf Hess bis zu dessen ominösen Englandflug, treffen sich im Januar 1946 beim Internationalen Militärtribunal als Zeuginnen vor Gericht.

3   Heinrich Hofmann, Hitlers Leibfotograf, wurde mit seinem gesamten Bildmaterial nach Nürnberg gebracht, das er dort archivieren musste; später wurde er zu einer Haftstrafe verurteilt.

2

3

1

2

1   Der Bostoner Psychiater und Neuro-
loge Dr. Leo Alexander als medizinischer
Gutachter mit einer Zeugin des KZ Ravensbrück, die am Bein operiert und
vorsätzlich infiziert wurde.

1   The Boston psychiatrist and neurolo-
gist Dr. Leo Alexander testifying as a
medical expert, pictured with a witness
of the concentration camp in Ravensbrück
whose leg was operated on and inten-
tionally infected.

3

2   Anna M., eine von zahllosen zwangs-sterilisierten Frauen, als Zeugin im „Case 3", dem Nürnberger Juristenprozess. Bei solchen „crimes against humanity" hatten Juristen, Mediziner und Aberdutzende andere Funktionäre im staatlichen Verwaltungsapparat Nazideutschlands vermeintlich nur ihre Pflicht getan, so dass laut Verteidigung die Haftung der Angeklagten für Taten, die dann andere begangen hatten, entfiel.

3   Acht Engländer als Zeugen im „Case 6", dem IG-Farben-Prozess. Alle waren Kriegsgefangene, die gemeinsam mit KZ-Häftlingen in Auschwitz für die IG Farben Zwangsarbeit leisten mussten. Sie bezeugten, dass den KZ-Insassen ganz offen die Vergasung angedroht wurde und die Kapazität der Krematorien, in denen die Ermordeten verbrannt wurden, wiederholt nicht ausreichte.

2   Anna M., one of countless women subjected to forced sterilizations, testifying in Case Three, the Nuremberg Trial of Lawyers. In such crimes against humanity, lawyers, doctors and countless officials claimed to simply be doing their duty in Nazi Germany. Liable for these crimes, according to the defense, were those who actually carried out the orders.

3   Eight Englishmen serving as prosecution witnesses in Case Six, the slave labor trial of the I.G. Farben Auschwitz factory. They were all prisoners of war doing forced labor alongside Auschwitz concentration camp inmates. Their testimony stated that inmates had been openly threatened with extermination by gassing and that the crematoriums were often not sufficient to handle the volume of victims.

238 OMT-VI-W-13

Tania und Ray Daniell von der New York Times auf einer Pressekonferenz im Nürnberger Justizpalast.

Tania and Ray Daniell from the New York Times at a press conference in the Nuremberg Palace of Justice.

Weltpresse und bekannte Prozessbesucher

The World Press and Prominent Trial Visitors

Rund 250 Pressevertreter fasste die Pressetribüne im Gerichtssaal 600 – an Tagen wie der Prozesseröffnung am 20. November 1945 und der Urteilsverlesung am 31. August 1946 war sie bis auf den letzten Platz belegt, drängten sich Kollegen, die keinen Platz mehr bekommen hatten, im Pressesaal, der sich genau ein Stockwerk unter dem Sitzungssaal befand. Journalisten aus rund 20 Nationen waren in Nürnberg angereist, außerdem waren mehrere Presseagenturen mit eigenen Büros im Justizpalast untergebracht: RCA, Mackey, Press Wireless und Tass. Von der deutschen Presse waren zur Eröffnung übrigens nur fünf Reporter zugelassen (allerdings gab es auch erst fünf lizenzierte Tageszeitungen sowie rund 20 Wochenzeitschriften). Aus den USA waren 80 Prozessberichterstatter angereist und offiziell akkreditiert, 50 aus Großbritannien, 40 aus Frankreich, 35 aus der Sowjetunion, 20 aus Polen und 12 aus der Tschechoslowakei. Und alle hatten reichlich zu tun: „Die im Justizpalast mit ständigen Korrespondenten vertretenen Nachrichtenagenturen jagen fast 14 000 000 Wörter über ihre Fernschreiber in alle Erdteile." (Heydecker, S. 118) Doch nicht nur das Pressecorps umfasste bekannte Namen wie beispielsweise Walter Cronkite, Wes Gallagher, Richard Stokes, Robert Cooper, Peter de Mendelsohn, Ilja Ehrenburg, Martha Gellhorn, Wiliam Shirer, um nur einige wenige zu nennen, es reisten des weiteren auch

Approximately 250 journalists crowded the press section of Courtroom 600 – on some days such as on opening day, November 20, 1945, or the verdict announcement on August 31, 1946, every last seat was occupied, and those who didn't get a seat had to go down a floor to the press hall for overflow seating. Journalists from approximately 20 countries came to Nuremberg, in addition to the press agencies which had set up office in the Palace of Justice: RCA, Mackey, Press Wireless and Tass. Only five members of the German press were admitted to the trial opening (due to there being only five licensed daily newspapers and 20 weeklies at the time). Around 80 officially accredited journalists made the trip from the US, 40 from France, 35 from the Soviet Union, 20 from Poland and 12 from Czechoslovakia. And everybody had enough to do: "The news agencies housed in the Palace of Justice and their correspondents send about 14 million words to all corners of the world through their teleprinters."
The press weren't the only group represented by prominent names like Walter Cronkite, Wes Gallagher, Richard Stokes, Robert Cooper, Peter de Mendelsohn, Ilja Ehrenburg, Martha Gellhorn, and Wiliam Shirer, just to name a few. Several famous authors also came to Nuremberg to follow the trials at the scene. Worth mentioning here are John Dos Passos, Rebecca West and Janet Flanner, the

etliche bekannte Schriftsteller an, um die Nürnberger Prozesse vor Ort mitzuverfolgen: zu nennen sind u.a. John Dos Passos, die Autorinnen Rebecca West und Janet Flanner, die Publizistin Victoria Ocampo aus Buenos Aires, ferner der Literat Sir Harold Nicolson, ebenso aber auch Erika Mann, Alexander Döblin, Erich Kästner und Wolfgang Koeppen, der nach den Verhandlungen allabendlich an „Jakob Littners Aufzeichnungen aus einem Erdloch" schrieb.

Selbstverständlich reisten auch diverse hochrangige Diplomaten der Siegermächte zu einzelnen Sitzungstagen an, so beispielsweise der ehemalige sowie der seinerzeitige britische Lordkanzler, Lord Wright vom UNWCC (United Nations War Crimes Commission), diverse Minister und Ex-Minister aus Frankreich und Großbritannien und den USA, bekannte Historiker und Wissenschaftler, auch US-Senatoren, amerikanische Zeitungsverleger, Generäle, der US-Militärgouverneur Clay nebst Frau und so fort.

Umgekehrt hatte selbst ein Mann wie Lion Feuchtwanger es mit Nachdruck abgelehnt, die Verhandlungen in Nürnberg zu besuchen (das Ganze würde „überschätzt", war seine Meinung). Insgesamt gelang es nur in wenigen Ausnahmefällen, deutsche Zuhörer zu einem Besuch auf der Tribüne im Gerichtssaal zu bewegen: „Angesichts des Schockes, des Elends und der Zerstörung, denen Deutschland ausgesetzt war, erwies sich das bestenfalls als ein sehr schwieriges Unterfangen." (Telford Taylor, S. 279) Dass diese Einbindung der deutschen Öffentlichkeit nicht gelang, ist eines der größten Versäumnisse, die Telford Taylor, stellvertretender US-Ankläger beim IMT und Hauptankläger bei der Mehrzahl der 12 US-Nachfolgeprozesse, in seinen Erinnerungen bedauert.

publicist Victoria Ocampo from Buenos Aires, Sir Harold Nicolson, Erika Mann, Alexander Döblin, Erich Kästner and Wolfgang Koeppen, who worked on his "Jakob Littner's Records From a Hole in the Ground" every evening after the trials. Also present on special conference days were naturally several high-ranking Allied diplomats, including the former British Lord Chancellor Lord Wright of the UNWCC (United Nations War Crimes Commission), several secretaries and former ministers from France, Great Britain and the US, famous historians and scientists, and also US Senators, American publishers, generals, the US Commanding General of the European Theatre, Clay, with his wife, just to name a few.

On the other hand, even a man like Lion Feuchtwanger refused to attend the trials in Nuremberg (he thought they were "overrated"). Only a few Germans could be moved to attend the trials: "Considering the shock, the horror and the destruction Germany was confronted with, getting them interested proved to be very difficult." (Telford Taylor, p. 279) The failure to interest the German public was one of the greatest regrets of Telford Taylor, deputy prosecutor at the IMT in the main case and chief prosecutor at the majority of the 12 follow-up cases.

1

2

1   The vehicle entrance to the Press Camp – journalists were housed in a private palace belonging to the Faber-Castell family. The palace, owned by pencil manufacturers, is located in the town of Stein, just a few miles outside of Nuremberg.

1   Die Zufahrt zum „Press Camp" – die Presseleute waren im Schloss der Familie Faber-Castell untergebracht. Das Schloss der Bleistiftfabrikanten befindet sich im Ort Stein, nur ein paar Kilometer außerhalb von Nürnberg.

2   In solchen Bussen wurden die Journalisten vom „Press Camp" zum Justizpalast chauffiert. Aus den USA waren rund 80 Reporter angereist, 50 aus England, 40 aus Frankreich, 35 aus der Sowjetunion, 20 aus Polen, 12 aus der Tschechoslowakei.

2   These were the buses which shuttled the journalists from the Press Camp. Participating were about 80 journalists from the US, 50 from England, 40 from France, 35 from the Soviet Union, 20 from Poland, and 12 from Czechoslovakia.

1

1   6. März 1946: Blick in die Arbeits-
zimmer, die man im Schloss Faber-Castell für die Pressebeobachter des Militärtribunals eingerichtet hatte.

2   Bibliothek und Lesezimmer für die
Pressevertreter.

3   Eines der Schlafzimmer, in denen die
Journalisten untergebracht waren – nicht
zu jedermanns Wohlgefallen: „Zu acht
oder neunt in einem Raum zusammenge-
pfercht ... sind sie gezwungen, in sanitä-
ren Verhältnissen zu leben, die alles andere als dies sind und die der Staat New
York in Sing Sing niemals durchgehen
lassen würde." (So William Shirer in der
Herald Tribune vom 8. Dez. 1945)

1   March 6, 1946: view of the offices
furnished for members of the press in the
Faber-Castell Palace.

2   Library and reading room at the Press
Camp.

3   One of the bedrooms housing the
journalists – not to everyone's satisfac-
tion: "Eight or Nine crammed into one
room, forced to live in sanitary conditions which are not that and wouldn't be
up to code in New York State's Sing Sing
Prison." (William Shirer in the Herald
Tribune, Dec. 8, 1945).

2

3

1

2

3

1   Blick in die Küche des „Press Camp";
alle Köche und Küchenhilfskräfte waren
Deutsche.

2   Ein typischer Tisch im Speisesaal des
„Press Camp" – rechts sitzt übrigens
William Shirer, berühmter Buchautor und
scharfer Kritiker der „fürchterlichsten
Umstände, die ich in all diesen zwanzig
Jahren, in denen ich nun schon aus dem
Ausland berichte, je erlebt habe." (Artikel
in der Herald Tribune vom 8. Dez. 1945)

3   Prozesskommentator Baukhage im
Gespräch mit Lt. Col. Madary, der für die
Bearbeitung der Beschwerden und Wün-
sche des „Faber-Völkchens" (so Telford
Taylors Name für die Presseleute im
Schloss Faber-Castell) zuständig war.

1   The Press Camp's kitchen; all cooks
and kitchen aids were Germans.

2   A typical dining table in the Press
Camp – seated at the right is William
Shirer, famous author and harsh critic of
the "most horrible conditions I have
experienced in the twenty years I have
been reporting from abroad."

3   Trial commentator Baukhage conversing with Lt. Col. Madary, responsible
for dealing with the complaints and
requests of the "Folks at Faber" (Telford
Taylor's name for journalists residing in
the Faber-Castell Palace).   111 SC-225949

1

1   Blick in die Pressetribüne im Gerichtssaal, die 250 Sitzplätze umfasste;
einen Stock tiefer gab es zusätzlich
einen großen Presseraum, in dem Prozessbeobachter die Verhandlung über
Lautsprecher verfolgen konnten.

2   Blick in die Pressetribüne des Schwurgerichtssaals 600. Kriegskorresponden-
ten in ihren Uniformen.

2

1   View of the press section of the courtroom, accommodating 250; located one story below was an additional press room, allowing journalists to follow the proceedings over loudspeaker.

2   Members of the press at work in Courtroom 600. Military correspondents are uniformed.

238 NT Box 8-517

1

238 OMTPJ-PR-7
111 SC-227127

2

3

1   Deutsche Journalisten, die über den Prozess berichten, werden durch das Gefängnis geführt. Links Cpt. Binder, einer der Offiziere der Gefängnisaufsicht, ganz rechts Cpt. Darrah, der „Public Information Officer" des Armeekommandos in Nürnberg.

1   German journalists covering the trials being led through the jail. At the left Cpt. Binder, a jail security officer, at the far right Cpt. Darrah, Public Information Officer of the Nuremberg Military Post.

2   Die Reporter der Mittelbayerischen Zeitung, der Frankfurter Rundschau und der Rhein-Neckar Zeitung bei der Lektüre von Fernschreibermeldungen.

2   Correspondents from three German newspapers, the Mittelbayerische Zeitung, Frankfurter Rundschau and the Rhein-Neckar Zeitung read the latest reports from the teleprinter.

3   Ein Kameramann des Signal Corps filmt die Angeklagten des „Case 5", des Prozesses gegen deutsche Großindustrielle – auf der Anklagebank sitzen im Februar 1947 (von links nach rechts) Friedrich Flick und seine Generalbevollmächtigten Kaletsch, Steinbrinck, Terberger und Weiß.

3   A Signal Corps cameraman captures the defendants in Case Five, the trial of large German industrialists, seated together in February 1947 are: (from left to right) Friedrich Flick and his power of attorney representatives Kaletsch, Steinbrinck, Terberger and Weiss.   238 OMT-V-D-4

1

1 Fünf der Kameraleute aus allen Winkeln der Welt, die am 30. Sept. und 1. Oktober 1946 zur Urteilsverkündung des Nürnberger Militärtribunals gegen die nationalsozialistischen Hauptkriegsverbrecher angereist waren.

2 Ein namentlich nicht bekannter russischer Pressefotograf bei der Arbeit.

3 Derart viele Pressefotografen waren zur Urteilsverkündung angereist, dass nicht alle von ihnen im Gerichtssaal Platz fanden. Salomonisch wurden von allen Fotos Abzüge gemacht, die dann sämtlichen Fotografen zur freien Verfügung standen.

1 Five of the camera crew assembled from all corners of the world awaiting the verdict on Sept. 30, and Oct. 1, 1946, on the trial of the highest Nazi officials.

2 An unnamed Russian photographer in action.

3 So many photographers had come to the reading of the verdict that not all could be accommodated in the courtroom. Solomon's solution was to make copies of all photographs freely available to all photographers.

2

3

238 NT Box 8-504
238 NT Box 8-534

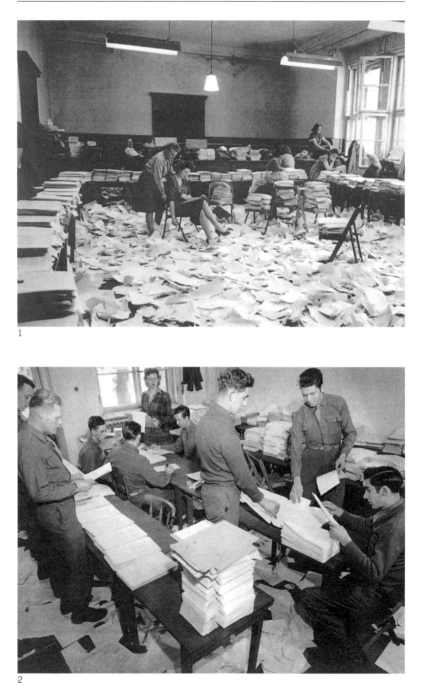

1

2

3

1   30. September 1946: Berge von Papier beim Zusammentragen der Vervielfältigungen des Urteils und der Zusammenfassung des Prozessverlaufs.

2   US-Soldaten tragen Vervielfältigungen von Informationen für die Presse zusammen. Die Nürnberger Prozesse waren nicht zuletzt eine gewaltige Papierschlacht – die Verhandlungsniederschrift von „Case 11" umfasste 290 000 Schreibmaschinenseiten, „Case 6" summierte sich auf 150 000 Seiten, „Case 10" und „Case 12" auf jeweils 100 000 Seiten.

3   Thomas J. Dodd, einer der drei US-Ankläger im Prozess gegen die 21 Hauptkriegsverbrecher, zeigt der Presse einen der Schrumpfköpfe, die von sadistisch veranlagten KZ-Schergen angefertigt worden waren.

1   Mountains of paper accumulated while sorting copies of the verdict and the courtroom minutes.

2   American soldiers help out with sorting out copies of documents to be given to the press. The Nuremberg Trials required an enormous amount of paper – documenting Case 11 covered 290,000 typed pages, Case 6 added up to 150,000 pages and Cases 10 and 12 each took up 100,000 pages.

3   Thomas J. Dodd, one of the three American prosecutors in the trial of the 21 highest Nazi officials, shows the press one of the shrunken human heads which had been sadistically created by a concentration camp thug.

1

1   Die Presseleute bedienen sich bei den für sie vom Gericht erstellten Informationen und Dokumentationen.

2   Cpt. Virginia Gill, die Bürochefin der US-Anklagevertretung, und Col. Urwiller als Vertreter des „Nuremberg Military Post" begrüßen vier US-Senatoren, die auf einer Inspektionsreise durch Deutschland und Österreich in Nürnberg Station machen – als Mitglieder des Haushaltsausschusses bewilligten die Senatoren die Gelder.

3   Hoher Besuch im April 1947: US-Militärgouverneur Lucius D. Clay (2. v. r.), eingerahmt von Hauptankläger Telford Taylor und dessen Stellvertreter Joseph W. Kaufmann, neben Taylor Cpt. Virginia Gill, die Bürochefin der US-Anklagevertretung, neben ihr Frau Clay, ganz links Brigadegeneral Leroy Watson, kommandierender General des Nürnberger Militärpostens.

1   Journalists help themselves to information and documents provided to them by the court.

2   Cpt. Virginia Gill, executive to the prosecution, and Col. Urwiller, acting Nuremberg Post Commander, greeting four US senators on an inspection tour through Germany and Austria on their stopover in Nuremberg. As members of the Senate Appropriations Committee they control funding of military operations.

3   Prominent visitors in April 1947: US Commanding General of the European Theatre Lucius D. Clay (2nd from r.), surrounded by Chief of Counsel Telford Taylor and his deputy Joseph W. Kaufmann, seated next to Taylor is Cpt. Virginia Gill, Administrative Officer in the office of Chief of Counsel for war crimes, next to her Mrs. Clay, at the far left Brig. Gen. Leroy Watson, Commanding General of the Nuremberg Military Post.

2

3

238 OMTPJ-V-3
238 OMTPJ-V-2

1

1   Am Tisch der Ankläger sitzen diesmal deutsche Jugendliche anlässlich einer Podiumsdiskussion zum Thema „Are the Nuremberg Trials Fair?", bestritten von den drei US-Anklägern und drei der deutschen Verteidiger. Das Publikum bekam Gelegenheit zu Fragen und Kommentaren – „Die Jugend eines zukünftigen demokratischen Deutschlands kann so das amerikanische Ideal der Redefreiheit praktisch erleben." (so die Bildunterschrift)

1   Seated at the prosecution table are German youths listening to the round table discussion led by three members each of the U.S. prosecution and German defense counsel on the topic, "Are the Nuremberg Trials Fair?" The audience had a chance to question and comment – "The youth of a future democratic Germany can experience first-hand the American ideal of freedom of speech." (according to the picture's caption)

2

2 Amerikanische Zeitungsverleger auf
einer Besichtigungstour durch den Zel-
lentrakt des Nürnberger Gefängnisses.

2 American newspaper publishers tour-
ing the main tract of the Nuremberg jail.   238 OMTPJ-VIP-5

86

Das „Grand Hotel"
in Nürnberg.

The "Grand Hotel"
in Nuremberg.

238 NT Box 2-151

Unterbringung und Freizeit der am Prozess beteiligten Personen

Accommodations and Leisure Activities of Trial Personnel

Eindeutiger Mittelpunkt des gesellschaftlichen Lebens der amerikanischen Mitglieder und damit der Mehrheit der Prozessgemeinde war das Grand Hotel gegenüber dem Nürnberger Hauptbahnhof; es hatte in den Bombennächten des Februar 1945 zwar massive Schäden davongetragen, war aber durch amerikanische Pioniere und deutsche Arbeiter zeitgleich mit den Arbeiten am Justizpalast wiederhergestellt worden. Im Grand Hotel verfügten die alliierten Besucher über ein Café, ein Restaurant sowie Dutzende von Hotelzimmern, im Marmorsaal spielte eine Tanzkapelle allabendlich zum Tanz auf, ab und zu wurden dort aufwendigere Nightclub-Shows geboten. „Die Russen kamen nie ins Grand Hotel, die Franzosen und Briten nur selten. Es war im wesentlichen ein amerikanischer Versammlungsort, genauso wie der in der Nähe eingerichtete Männerclub." (Telford Taylor, S. 260) Das Fürther Opernhaus wurde für die US-Armee amtlich requiriert und als Kino und Kasino sowie für Shows genutzt. Als einer der Orte, in denen zur Zeit der Prozesse fast durchgängig reges Leben und Treiben herrschte, ist vor allem das Schloss der Bleistiftfabrikanten Faber-Castell zu nennen, in dem die Presseleute untergebracht waren. Major Ernest Dean, der Kommandant des „Press Camp" hatte dort sogar einen kleinen Frauenchor aus den im Schloss beschäftigten deutschen Kellnerinnen zusammengestellt, der regelmäßig deutsche

The clear focal point of American social life and, therefore, for the majority of the trial community was the Grand Hotel across from Nuremberg's main train station; it suffered heavy damage in the nights of bombing in February, 1945, but was restored by American and German construction workers at the same time as work was being done on the Palace of Justice. The Grand Hotel's facilities included a café, a restaurant and dozens of rooms, in addition a marble hall for evening entertainment, dancing, and nightclub shows. "The Russians never came to the Grand Hotel, and the French and British only seldom. It was mostly an American meeting point, just like the nearby men's club." (Telford Taylor, p. 260) The Opera House in nearby Fuerth, having been acquired by the American Army, served as a movie theater, performance hall and a casino. One of the sites that saw constant social happenings was the palace of the pencil manufacturing family Faber-Castell, in which journalists were housed during the trials. Major Ernest Dean, the commander of the "Press Camp", even formed a German women's choir of waitresses employed at the palace. The choir regularly performed German folk songs and – as comic relief – popular American songs sung with a strong German accent" (Telford Taylor, p. 264). George Krevit, one of the court pages, recalled in a detailed interview baseball games having

Volkslieder „und – als komische Einlage –
mit starkem deutschen Akzent amerikanische Unterhaltungssongs zum besten
gab" (Telford Taylor, S. 264). George
Krevit, einer der Gerichtspagen, erinnert
sich in einem ausführlichen Interview an
allabendliche Baseballspiele auf dem
ehemaligen Reichsparteitagsgelände, das
für die Freizeitaktivitäten der Sieger in
der Tat weitläufig genug war und sich vor
allem bei den Amerikanern großer
Beliebtheit erfreute.
Der US-Ankläger Telford Taylor wiederum
erinnert sich lebhaft an zahlreiche Ein-
ladungen in den noblen Villen der Vororte
Erlenstegen und Dambach, in denen die
höherrangigen Mitglieder der vier Ge-
richtsdelegationen einquartiert waren;
mit den Briten und Franzosen traf man
sich ebenfalls regelmäßig zu offiziellen
und inoffiziellen Abendeinladungen. Weit-
gehend außen vor blieben die Mitglieder
der sowjetischen Delegation – kein Wun-
der angesichts denkbar rigider Vorgaben:
„Vor meiner Abreise, die mit umständ-
lichen Formalitäten verbunden war, wurde ich darüber instruiert, wie ich mich
im Ausland als stolzer Sowjetbürger zu
benehmen hätte. Das hieß, Wachsamkeit
zu üben, sich nicht zu verbrüdern, und
kaum Kontakt mit Ausländern zu pflegen.
Ich unterschrieb die mir vorgelegten
‚Verhaltensregeln für Sowjetbürger im
Ausland' mit der Information, dass auf
Nichteinhalten ein außergerichtliches
Verfahren mit Erschießen oder im günsti-
gen Fall Lager erfolgen würde." (Michael
S. Voslensky, Übersetzer der sowjetischen
Delegation beim Nürnberger Prozess und
auch im Alliierten Kontrollrat, zit. bei Papadopulos-Killius in Ueberschär, S. 52.)
Neben all diesen Versuchen, auch in
Nürnberg trotz der zerstörten Stadt und
all der Abertausend verstörenden Fakten,
die im Prozess zur Sprache kamen, so
etwas wie ein normales Alltagsleben auf-
rechtzuerhalten, erinnern sich Telford
Taylor, der Architekt Dan Kiley sowie
mehrere Prozessbeobachter und sonstige

been played nearly every evening at the
former Nazi Party Rally Grounds, which
Americans were happy to find that they
were actually large enough to accommo-
date their leisure activities.
The American prosecution attorney
Telford Taylor fondly recalled the numer-
ous invitations to the noble villas in the
suburbs of Erlenstegen and Dambach in
which high ranking members of the four
trial delegations found accommodations;
formal and informal evening get-togeth-
ers regularly took place with the British
and French. Members of the Soviet
Delegation mostly kept their distance –
no wonder considering their strict
regulations: "Before my departure, which
involved many inconvenient formalities,
I was instructed how to conduct myself
abroad as a Soviet citizen. This meant
staying alert, not to get too friendly,
and to keep contact with foreigners to
a minimum. I signed the papers placed
in front of me titled "Rules of Behavior
for Soviet Citizens Abroad" stating that
the failure to follow these rules would
lead to an out-of-court hearing with
death by firing squad or at the very least
imprisonment in a camp."
(Michael S. Volensky, translator for the
Soviet Delegation at the Nuremberg
Trials and at the Allied Governing
Counsel, quoted by Papadopulos-Killius
in Ueberschär, p. 52).
Telford Taylor, the architect Dan Kiley,
and several journalists gave lavish
reports of their excursions to the romantic and unscathed villages in Franconian
Switzerland, a hilly region to the north
of Nuremberg. This was an attempt to
hold a semblance of normal life even in
the war-torn city of Nuremberg and
amidst the horror of the information
surfacing at the trials. Destinations
farther away were also visited. There was
skiing in the mountains or, depending
on rank, weekend flights to Paris or
London. Excursions were also made
to once again idyllic German cities –

befragte Zeitzeugen geradezu schwelgerisch an Ausflüge in die romantischen und völlig unversehrten Dörfer der Fränkischen Schweiz. Daneben gab es auch noch weiter entfernte Ziele; man fuhr in die Berge zum Skifahren oder unternahm (bei entsprechendem Rang) Wochenendflüge nach Paris oder London, machte sich auf zu fast schon wieder idyllischen Besichtigungsfahrten in deutsche Städte – die Nürnberger Prozesse waren aufwühlend und geschichtsträchtig, doch wurden sie für die Beteiligten im Laufe der Zeit zu einem Stück vertrauten Arbeitsalltags.

the Nuremberg Trials were tempestuous and historic, but in time became routine to those participating in them.

Der Westflügel des Nürnberger Justizpalastes: im Keller befanden sich PX und Snack-Bar für das US-Militär, im Erdgeschoss Zweigstellen amerikanischer Versicherungen, Banken etc., im 1. und 2. Stock die rund 40 Büros für die deutschen Verteidiger und ihre Mitarbeiter.

The west wing of the Nuremberg Palace of Justice: located in the basement was the US Military PX and Snack Bar, on the ground floor insurance offices and banks etc. and on the upper floors about 40 offices for German defense attorneys and their assistants.

238 OMTPJ-E-10

1

2

3

1 S/Sgt. Gardner verteilt die von der US-Army wöchentlich zugeteilte Tabakration an die deutschen Verteidiger, die Tabak allenfalls auf dem Schwarzmarkt bekommen hätten. Verteilt wurden zwei Pakete Zigarettenpapier, drei Päckchen Tabak für Pfeife oder selbstgedrehte Zigaretten sowie 24 Zigarillos.

2 Februar 1947: Blick in das soeben eröffnete amerikanische Postamt mit Kiosk im Keller des Hauptquartiers der Military Police neben dem Nürnberger Justizpalast.

3 Um die Post zu bewältigen, die für die amerikanischen Richter, die Ankläger und ihre Stäbe sowie die rund 800 bis 1000 sonstigen Mitarbeiter (Zivilangestellte und auch Militärs) bei den Nürnberger Prozessen einlief, wurde ein eigenes Militärpostamt eingerichtet: hier der Chief of Mail Distribution und der Assistent bei der Arbeit.

1 S/Sgt. Garner distributes weekly tobacco rations to members of the German defense team, which they otherwise would only have been able to acquire on the black market, if at all. They were given away two packets of cigarette paper, three packages of pipe tobacco and 24 "five minute smokes".

2 February 1947: general view of the grand opening of the Post Exchange (PX) in the basement of the Military Police Headquarters building adjacent to the Palace of Justice.

3 A separate army post office was necessary to handle the influx of mail addressed to American judges, members of the Office of Chief of Counsel for War Crimes and an additional 800 – 1,000 civilian and military employees. Pictured are the Chief of Mail Distribution and the Assistant on the job.

238 OMTPJ-MIS-10

1

2

1   Das Nürnberger „Grand Hotel" – laut Telford Taylor „für die meisten Mitglieder der amerikanischen Delegation der Mittelpunkt des gesellschaftlichen Lebens".

2   Das Fürther Opernhaus, das für Kino, Oper und eigens inszenierte Soldatenrevuen requiriert war.
„Nur ein paar Kilometer vom Nürnberger Gerichtsgebäude entfernt, ist die alte Oper eines der beliebtesten Ausflugsziele der Mitarbeiter des UNWCC."

1   Nuremberg's Grand Hotel – according to Telford Taylor "the center of social life for most members of the American delegation."

2   The Opera House in Nuremberg's neighbor city Fuerth was used by the Americans for movies, operas and military theater productions.
"Located only a few kilometres from the Nuremberg Courthouse, the old Opera House is one of the favorite spots of UNWCC personnel."

3

4

3 Der Marmorsaal des Grand Hotel bei einer Revueveranstaltung.

4 Die Vertreter der US-Anklage wohnten in prächtigen Villen im unzerstörten Vorort Erlenstegen; hier das Haus, das Thomas E. Ervin bewohnte, Assistent von Telford Taylor und einer der sechs Anklagevertreter im „Case 5" gegen Flick und seine Generalbevollmächtigten.

3 The Marble Room of the Grand Hotel in use at a theatrical revue production.

4 Key personnel of the Office of Chief of Counsel for War Crimes lived in comfortable villas in the unscathed Nuremberg suburb Erlenstegen. In this house dwelled Thomas E. Ervin, a deputy to Telford Taylor and one of the six prosecutors in Case Five versus Flick and his power of attorney representatives.

238 NT Box 2
238 OMTPJ-MIS-16

94

Anordnung im Saal 600 während des
Hauptkriegsverbrecher-Prozesses:

Arrangement in Courtroom 600 during
the trial of the main Nazi war criminals:

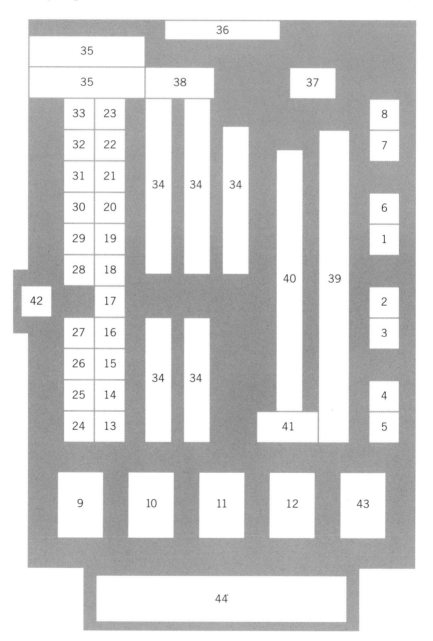

Die Richter	The Judges
1. Vorsitzender: Lordrichter Geoffrey Lawrence, Großbritannien	1. Chief Justice: Lord Judge Geoffrey Lawrence, Great Britain
2. Francis A. Biddle, USA	2. Francis A. Biddle, USA
3. John J. Parker, USA	3. John J. Parker, USA
4. Henri Donnedieu de Vabres, Frankreich	4. Henri Donnedieu de Vabres, France
5. Robert Falco, Frankreich	5. Robert Falco, France
6. Norman Birkett, Großbritannien	6. Norman Birkett, Great Britain
7. Iola T. Nikitschenko, UdSSR	7. Iola T. Nikitschenko, USSR
8. Alexander F. Wolchkow, UdSSR	8. Alexander F. Wolchkow, USSR

Die Ankläger	The Prosecution
9. Hauptankläger Champetier de Ribes, Frankreich	9. Chief Prosecutor Champetier de Ribes, France
10. Roman A. Rudenko, UdSSR	10. Roman A. Rudenko, USSR
11. Robert H. Jackson, USA	11. Robert H. Jackson, USA
12. Sir Hartley Shawcross, Großbritannien	12. Sir Hartley Shawcross, Great Britain

Die Angeklagten	The Defendants
13. Göring	13. Göring
14. Hess	14. Hess
15. Ribbentrop	15. Ribbentrop
16. Keitel	16. Keitel
17. Kaltenbrunner	17. Kaltenbrunner
18. Rosenberg	18. Rosenberg
19. Frank	19. Frank
20. Frick	20. Frick
21. Streicher	21. Streicher
22. Funk	22. Funk
23. Schacht	23. Schacht
24. Dönitz	24. Dönitz
25. Raeder	25. Raeder
26. Schirach	26. Schirach
27. Sauckel	27. Sauckel
28. Jodl	28. Jodl
29. Papen	29. Papen
30. Seyß-Inquart	30. Seyß-Inquart
31. Speer	31. Speer
32. Neurath	32. Neurath
33. Fritzsche	33. Fritzsche

Prozessbeteiligte und Einrichtungen	Trial staff and equipment
34. Deutsche Verteidiger	34. German Defense Team
35. Dolmetscher	35. Translators
36. Filmleinwand	36. Film screen
37. Zeugenstand	37. Witness stand
38. Gerichtsmarschall	38. Bailiff
39. Gerichtssekretäre	39. Court secretaries
40. Stenographen	40. Stenographers
41. Pult für Ankläger und Verteidiger	41. Lectern for prosecution and defense
42. Aufzug zum Gefängnis	42. Elevator to jail
43. Gerichtssekretäre	43. Court secretaries
44. Presse und Besucher	44. Press and spectators

Auswahlbibliographie:
D'Addario, Ray, Kastner, Klaus, Der Nürnberger
Prozess. Das Verfahren gegen die Hauptkriegs-
verbrecher 1945-1946, Nürnberg 1994.

Dos Passos, John, Das Land des Fragebogens.
1945: Reportagen aus dem besiegten
Deutschland, Hamburg 1999.

Heydecker, Joe J, Leeb, Johannes,
Der Nürnberger Prozess. Bilanz der tausend
Jahre. Die Geschichte des 3. Reiches im Spiegel
des Nürnberger Prozesses, München 1995.

Hilberg, Raul, Unerbetene Erinnerung. Der Weg
eines Holocaust-Forschers, Frankfurt 1994.

Müller-Ballin, Gabi, Die Nürnberger Prozesse
1945–1949, Materialien des Bildungszentrum
der Stadt Nürnberg, Nürnberg 1995

Ocampo, Victoria, Nürnberger Impressionen, in:
Freibeuter Nr. 66 (Nov. 1995), S. 94-102.

Persico, Joseph E., Nuremberg. Infamy on Trial,
New York 1994.

Stave, Bruce M., Palmer, Michele,
Witnesses to Nuremberg: An Oral History of
American Participants at the War Crimes Trials,
New York 1998.

Taylor, Telford, Die Nürnberger Prozesse,
München 1994.

Ueberschär, Gerd (Hg.), Der Nationalsozialismus
vor Gericht. Die alliierten Prozesse gegen Kriegs-
verbrecher und Soldaten 1943-1952,
Frankfurt 1999.

Fotonachweis:
Alle Fotos aus den National Archives,
College Park, Maryland, USA.

Dank gilt Dr. Gerd Burger für die Übersetzungen
(englisch-deutsch), Anregungen und für das
Lektorat. Dank auch an Wayne Lempke für die
Übersetzung in das Amerikanische.

Gefördert wurde diese Dokumentation durch das
Auswärtige Amt der BRD, durch die Kost-
Pocher'sche Stiftung der Stadt Nürnberg und
durch ver.di, Fachbereich 8, Nürnberg.

Photograph Credits:
All photographs provided by the National
Archives in College Park, Maryland, USA.

Special thanks to Dr. Gerd Burger
for his assistance with English-German translations and his advice and editorial office.
Thanks also to Wayne Lempke for the German-
American English translation.
(Translators note: many quoted passages were
taken by the author from German-language sources translated from the original English into
German. Where possible, the original English
wording was used but some passages may differ
slightly in wording, though not in content, from
the original quotes.)

This documentation has received funding from
the Foreign Office of the Federal Republic of
Germany, the Kost-Pocher'sche Foundation
of the city of Nuremberg and from ver.di,
department 8, Nuremberg.